レーニンよさらば！

新たな社会民主主義を！　自由・共生・非暴力！

平岩章好

22世紀アート

目次

はじめに——共同性の思想を求めて　5

第Ⅰ編「マルクス」　15

第一章　カール・マルクス（１８１８〜１８８３）の生い立ちから青年期　16
第二章　社会主義と共産主義　28
第三章　マルクス主義は科学的社会主義か？　34
資料１　ユートピア的社会主義思想について　45
資料２　唯物論的歴史観（唯物史観または史的唯物論）について　53
第四章　マルクスと自由　58
資料３　74
第五章　マルクスと個人　78
第六章　平等と多様性　83

第七章　『資本論』と弁証法　89
第八章　資本主義社会とはどのような社会か　94
第九章　剰余価値はいかにして生み出されるか　――労働力・労働・剰余労働・搾取――　99
第十章　パリ・コミューン（1871年3月〜1871年5月）　――パリ・コミューンから
マルクスは何を学びとったか――　106
資料4　パリ・コミューンの性格と階級的構成　116
第十一章　プロレタリアート独裁とマルクス　117
第十二章　「アソシエーション」というマルクスの概念
――未来社会の組織論のキーワード　131
第十三章　過渡期の政治・経済に関するマルクスの構想とその変遷　「生産手段の私的所有の
廃止」から「労働の解放」へ　137
第十四章　未来社会（共産主義社会）に関する構想――概略　146
資料5　未来社会像に関連するマルクスの文献　149

第Ⅱ編「レーニン」　157

第一章　レーニン（１８７０～１９２４）前半生の略歴　158
資料６　「ボリシェヴィキ」、「メンシェヴィキ」、「エスエル」とは　162
第二章　１９０５年のロシア革命（第１次ロシア革命）　165
資料７　ソヴィエトとは　171
第三章　第１次世界大戦と１９１７年のロシア革命　174
第四章　１９０５年の革命～１９１７年２月革命　レーニン２段階革命論の矛盾　180
第五章　１９１７年２月革命は女性たちの叫びで始まった　188
第六章　１９１７年10月のロシア革命とは　どのような革命だったのか　198
第七章　ロシア革命と農民革命　220
第八章　マフノの反乱　227
第九章　クロンシュタットの反乱（１９２１年２月28日～３月18日）　240
第十章　レーニンの国家論・革命論・プロレタリア独裁論　249
資料８　266

第十一章　レーニンの「自由」と「平等」に関する考え　268
第十二章　パリ・コミューンについてのレーニンの誤った理解　271
第十三章　「旧ソ連」とは何だったのか？　276
第十四章　ノーメンクラトゥーラ　296
第十五章　スターリン主義とその根源　304
第十六章　ソ連はどのように崩壊したのか　328
第Ⅲ編「非暴力主義による社会変革と新たな社会民主主義を！」　343
第一章　社会変革と暴力　──非暴力直接行動あるいは非暴力不服従　344
第二章　新たな社会主義の創生を　357
あとがき　366

はじめに――共同性の思想を求めて

1　新自由主義の席巻が若者の未来を奪う

（1）１９８９年11月の「ベルリンの壁の崩壊」に象徴される東欧諸国の革命に始まり、１９９１年12月ソ連共産党及びソ連邦の解体へと進み、１９１７年10月のロシア革命以来続いた「ソ連型社会主義体制」は崩壊しました。

この劇的な歴史の展開のなかで、「社会主義の終焉と資本主義・自由主義の勝利」が喧伝されました。あれから約30年の歳月がたちました。いまや、マスメディアでは「マルクス主義」とか「マルクス・レーニン主義」などという思想や理論は前世紀の遺物とみなされ、ほとんど見向きもされなくなったようにみえます。

（2）一方、資本主義は本当に勝利したのでしょうか。資本主義を脅かすものはなくなったのでしょうか。

２００８年秋、バブル景気に沸くアメリカで突如起こった大手投資銀行リーマン・ブラザーズの倒産に端を発し、連鎖的に広がったグローバルな金融不安は、実体経済をも巻き込み、世界大恐慌へと発展する様相を呈しました。

今また、ＥＵ（ヨーロッパ連合）はイギリスの離脱や中東からの難民受け入れなどをめぐって分裂の危機にあります。アメリカと中国の貿易摩擦の波紋は国際経済に広範な影響を与える可能性があります。

「新自由主義」という経済思想・理論が世界を席巻しています。

新自由主義は、経済は市場にまかせるのが最も良く、国家が市場に介入したり、規制を加えたりするべきではないという自由放任主義の経済思想です。社会を構成する個人は競争原理と自己責任に基づいて生きるべきであり、市場で勝つも負けるもすべて個人の責任であるとする強者の論理です。「規制緩和・民営化」という政策にみられるように、社会のあらゆる領域に商品経済を導入し、福祉・医療・教育など公共部門の根幹までも民営化しようとしています。さらに、労働組合や健康保険制度、生活保護制度などは競争意欲をなくすので廃止すべきであるという考えです。これはまさに、弱者を淘汰し強者が支配を貫徹する論理です。

新自由主義による経済路線によって社会にどのような影響が見られたでしょうか。低賃金、非正規雇用、過労死、失業、貧困、格差拡大、消費税増税と企業減税、物価上昇、福祉内容の切り下げ……数えあげたらきりがありません。

若者たちは将来の展望が見えず、結婚したくても結婚できず、子供を産みたくても産めないという状況に追い込まれ、「生きさせろ！」という声が大きくなりつつあります。人々を排他的競争にかりたて、人と人の間の結び付きを分断し、人間のアトム化を加速させています。他方、地球の生態環境の悪化は年々進行し、人類滅亡の怖れも叫ばれています。

このような資本主義に人類の未来を託すことはできません。

2　今こそ、資本主義の矛盾を克服する新たな思想が求められています

それは資本主義の小手先の改良ではありません。あえて「革命」という言葉は用いませんが、根底的変革を成し遂げる思想でなければなりません。それは、排他的「競争原理」に代わる「共同」ないし「共同性」の思想でなければなりません。

ここでいう「共同性」とは、社会の構成員である個人一人一人が共同の社会的基礎の上に自立性を獲

得することを意味しています。それは、個々人の自由と多様性を尊重する思想でなければなりません。従ってそれは「全体主義」とも「民族主義」とも異なります。

3　共同性の実現と社会主義思想

共同性の思想の実現には様々な角度からのアプローチがありえますが、「社会主義思想」が依然として最も有力な思想であると思われます。

「いまさら社会主義なんて、時代錯誤ではないのか?」とおっしゃる方がおられるかもしれません。なかには、「君はまだそんなことに関わっていたのか?」と驚かれる方もおられるかもしれません。或いはまた「過去の革命運動の誤りを暴いて何になるんだ?」と疑問視される方もおられることでしょう。

今ここで社会主義思想というとき、それは「ソ連型社会主義体制」の成立以来、国際共産主義運動の指導理念として普及した「マルクス・レーニン主義」ではありえません。広義の「マルクス・レーニン主義」と言われるものは、マルクスの学説とレーニンの学説の両方を合わせて奉ずる立場を意味しますが、狭義では「スターリン時代に定式化されたマルクスとレーニンの教義」を意味します。

レーニンの学説は、帝国主義時代とプロレタリア革命時代の新しい歴史的条件の中で、マルクスの学説を継承・発展させたものであるとの観点から、「マルクス・レーニン主義」と呼ばれました。

権勢を誇った「マルクス・レーニン主義」はソ連邦の崩壊とともに破綻しました。

しかし、社会主義ないし共産主義思想のすべてが根底から否定され、存在理由を失ったわけではありません。社会主義思想は地下水脈のごとく、歴史の底辺を涸れることなく流れ続けていると思われます。社会主義思想の再生のためには、過去の社会主義ないし共産主義の思想・理論や運動の誤りを厳しく反省することを避けて通れません。厳しい反省のなかから新しい創造的な思想・理論と運動が生みだされることでしょう。

4 「スターリン主義」の源流は「レーニン主義」にある

(1) 旧ソ連邦及び東欧のソ連型社会主義体制がマルクスの思想・理論の現実化であったかのように見られてきましたが、事実は全く異なります。それは、マルクスのめざした社会主義とは似て非なるものであったと言わざるをえません。
前述のように、レーニンの思想・理論はマルクスの学説を継承・発展させたものとされ、「マルクス・レーニン主義」と称されました。しかし、マルクスとレーニンの思想・理論をよく検討してみますと、両者には大きな隔たりがあることがわかります。更にレーニンはマルクスよりもエンゲルスから多くを学んでいます。意外に思われる方がおられるかも知りませんが、マルクスの生涯の友としてマルクスを支え続けたエンゲルスの思想・理論もまたマルクスのそれと多くの点で異なっていることが分かります。これらのことについては、既に多くの識者によって指摘されてきました。

１９５６年ソ連共産党第20回党大会でフルシチョフ書記長によって初めて公に批判されたスターリンの罪悪は「スターリン主義」と呼ばれる社会主義路線に基づいていますが、これこそはレーニンの革命路線の延長線上に生まれたということができると思います。従って、レーニン時代までは正しかったが、スターリンの時代になって道を誤ったということはできません。

「スターリン主義」の源流は「レーニン主義」にあったのです。

(2) レーニンの思想・理論を批判するにあたって、完全無欠の規範などもとよりありません。レーニン批判にあたって、私は主としてマルクスの思想・理論を批判的に継承することを媒介として作業を進めました。

マルクスとレーニンの学説を比較・検討するに当たって、それぞれが「何を成し遂げたか」ではなく、「何を成そうとしたか」という観点に立ちました。

蛇足とは思いますが、マルクスの学説を完全無欠であるとは思いませんし、ましてや彼を神格化するなどということはありえません。

彼の残した著作の中にも、誤りやあいまいな点、不十分な点があります。彼が生きた時代には肯定しえても、現代社会にはふさわしくない言説もあります。

もしも、彼の思想・理論を批判的に検討、摂取し、その思想・理論を媒介として活用することができるならば、彼は私たちに多くの示唆を与えてくれるに違いありません。

非常に厳しく困難な現状の中で、いかにしたら未来社会を拓くことができるかが課題です。私たち一人一人が主体的に自分の頭で考えそして行動することが求められています。

5　レーニンとの決別と新しい道

本著の題名を『レーニンよさらば！』とした第一の理由は、新しい社会主義思想の創生に関して最も重要なことの一つは、レーニンの「プロレタリア独裁論」および、これと殆んど一体化した「共産党唯一前衛党主義」の学説と決別することであると考えたからです。これらの理論はレーニンの学説の最も重要な部分を占めるとともに「スターリン主義」の根幹をも成しています。この理論が旧ソ連において、新たな階級社会を生みだし、自由と民主主義を抑圧する根拠となったと考えられます。

残念ながら、この理論をいまだに金科玉条としている人々がいますが、それこそ「時代錯誤」と言わねばなりません。

レーニンのこの理論を否定し、それときっぱりと決別することなしには、新しい社会主義運動の創生はありえないと考えるからです。

そのことは、暴力革命による権力の獲得と唯一つの革命党による独裁政治に反対することであり、非暴力的抵抗運動と議会制民主主義に基づいて新しい社会を実現する立場です。それは社会主義社会への平和的移行を志向する立場でもあります。

第二の理由は、私自身の思想的歩みの中で、思想的変遷に一つのけじめをつけることでした。

私は、かつて青年時代に、短い年月でしたがマルクスの思想・理論とともにレーニンの思想・理論をも信じて疑わなかった時期がありました。

既に１９６０年代の半ばには、レーニンの思想・理論の誤りに気付き、次第にレーニンの思想・理論に対して否定的立場に立つようになりました。しかし、否定的立場の根拠を理論的に掘り下げて表明することを怠ったまま今日まで過ごしてきました。

社会主義運動あるいは反体制運動に参加してきた一人として、自分自身の思想的転換を文書をもって表明しておくことは責務であると思いました。

誤解を恐れずに、レーニン的分類に従えば、私の思想的転換は右翼日和見主義への転落であり、共産主義から社会民主主義への転向であると言えるでしょう。

遅きに失した感がありますが、自己批判の意味をもこめて、自己の思想的転換の根拠を明確にするために、浅学菲才を顧みず、この拙文を上梓することにしました。

本書は、マルクス主義あるいは社会主義に関して系統的に書かれた著作ではありません。著者が長年関心を持ち、書きとめてきたマルクスやレーニンに関する思想や理論、旧ソ連型社会主義などに関する論文集です。これらの一連の論文のなかに、現在の著者の思想的立場が表明されていると思います。

平岩　章好

第I編「マルクス」

第一章　カール・マルクス（１８１８〜１８８３）の生い立ちから青年期

１　生地トリール……フランス革命の影響

マルクスは１８１８年5月にドイツ（ドイツ国家統一前のプロイセン王国）のライン州トリールに生まれました。トリールはライン川の支流モーゼル川の上流に位置するローマ時代からの古い町です。父ハインリッヒ・マルクスと、母ヘンリエッテの間の9人姉弟の第3子として生まれましたが、姉のゾフィー、妹のルイーゼとエミリー以外は夭逝しました。

父はユダヤ人の弁護士で、後にトリール市の法律顧問官となった人で、家庭は裕福でした。彼は進歩的ではありましたが、非常に穏健な自由主義者でした。イギリスの名誉革命時代の思想家ジョン・ロック（１６３２〜１７０４）やフランス革命の思想的源流をなす啓蒙主義者ヴォルテール（１６９４〜１７７８）や百科全書家ディドロ（１７１３〜１７８４）などに私淑していたと言われています。

2世紀このかた、ライン地方の小さいドイツ語諸国は、地理的にフランスに近接していたため、フランス文明の影響を受けていました。フランス革命さなかの１７９５年にフランス軍に占領されてからナポレオンの没落までの約20年間はフランスの統治下に置かれたため、フランス革命の自由主義的思想の影響を大きく受けました。１７９３年フランスでジャコバン党の共和政治が登場した時には、ライン地方にはジャコバン協会が設立され、多くの青年たちが義勇兵としてフランス軍に参加しました。ナポレオンの占領下にあった間、この地方では封建制の残滓がかなり除去され、特に知識層の間には自由と国家統一を求める思想的運動が起こりつつありました。マルクスの父の啓蒙思想への傾倒、進歩主義的自由主義および親仏的態度やライン地方の思想的潮流の影響がマルクスの思想形成に大きな影響を与えなかったはずはありません。

古いプロイセンは未だ中世的な伝統をぬぐい切れておらず、その社会組織はまだ封建的でした。それに対してライン地方は産業革命とフランス革命という二つの潮流に洗われ、商業の繁栄、鉄や繊維の工業においても、自由主義的思想においても、プロイセンにはるかに先んじていました。そして19世紀、ドイツのあらゆる進歩的な運動の大部分がライン沿岸において発生したのです。トリールはワイン醸造の中世的農村の性格を残してはいましたが、近代的工業都市の姿をそなえつつあり、皮革工業と繊維工業が盛んでした。

１８１５年、ウィーン会議によってヨーロッパの支配圏が改められた時、ライン川の西岸のドイツ語を用いている諸国はプロイセン王国に編入されました。マルクスの父は、１８１６年または１８１７年にユダヤ教からキリスト教（プロテスタント）に改宗しました。改宗の動機は宗教的であるよりは経済的・社会的理由によるものでした。直接の誘因となったのは、ナポレオン失脚後の反動勢力がユダヤ人に対して講じた強圧政策でした。１８１５年、プロイセンではユダヤ人はいっさいの公職から締め出され、更に１８１５年には公職の範疇は弁護士の実務や薬局の経営にまで拡大されたのです。

2　ギムナジウムから大学へ

マルクスは12歳の時トリールのギムナジウム（5年制の高等中学校）に入学し、17歳で卒業しました。卒業後、１８３５年10月に法学を学ぶために、ライン沿岸にあるボン大学に入学し、1年間在学しましたが、その後ベルリン大学に移り、１８４１年3月までそこで学びました。同大学での専攻は法学でしたが、大学で学んでいるうちに法学よりも哲学に深い関心を持つようになりました。そのような時、青年ヘーゲル学派の旗頭であるブルーノ・バウアー（１８０９～１８８２）を知ることとなり、彼を介してヘーゲル哲学を学び始める機会を得、それに没頭するようになりました。

１８３１年、ドイツ古典哲学の完成者でドイツ思想界に君臨したヘーゲル（ゲオルグ・ウィルヘルム・フリードリッヒ、１７７０～１８３１）が歿しました。ヘーゲル哲学を簡単に説明することはできませんが、すべての存在を生成・発展・消滅するものととらえ、究極的なもの、絶対的なものを否定する合理的・進歩的側面と、現存するものを人間の理性に合致したものとみる保守的側面の二つの互いに矛盾する原理が内在していました。

その死後もなお彼の哲学はドイツ思想界全体に君臨し続けましたが、１８３０年代の後半になると、ドイツ自由主義運動の高揚を背景としてヘーゲル学派は右派、中央派、左派に分裂しました。

3　青年ヘーゲル学派への加入

左派は青年ヘーゲル学派とも呼ばれ、ヘーゲル哲学から合理的・進歩的側面を受け継ぎ、ヘーゲルの保守的側面によって絶対視されたキリスト教とプロイセン絶対王政を批判しました。前述のバウアーをはじめシュトラウス、シュティルナー、ルーゲ、フォイエルバッハなどが属していましたが、１８３８年頃マルクスもその仲間に加わりました。ここで青年ヘーゲル学派について詳しく述べることは省略します。同学派は政治的には自由主義・民主主義の線にとどまりましたが、マルクスがヘーゲル哲学から脱皮するための媒介的役割を果たしたということができます。

マルクスはベルリン大学での卒業論文『デモクリストとエピクロスとの差異』をイエナ大学哲学部に

提出し、１８４１年４月同大学より哲学博士の学位を取得しました。彼の処女作ともいうべきこの学位論文を城塚登著『若きマルクスの思想』（１９７０年初版）に基づいて見てみることにします。

学位論文を作成した当時のマルクスの哲学的立場を規定したものとして次の三つの契機が挙げられています。

第一の契機はヘーゲル哲学との密接な結び付きで、殊に概念構成と概念操作におけるヘーゲル哲学への依存です。

第二の契機は青年ヘーゲル学派独特の立場である「自己意識」の立場です。

「自己意識の立場は人間が自分の直接的存在を、つまり単なる自然存在や自然的欲求を否定したところに生まれるものだからである。この自己意識の立場に立つことによって、はじめて人間の主体性や自由は確保されるのである。……マルクスがエピクロス哲学を高く評価した理由は、エピクロスが自然の必然性に対して人間の主体性と自由とを保証したこと、彼が直接的存在の立場から離れて自己意識の立場に到達したことにあることは明白である」。

第三の契機は18世紀のフランス啓蒙思想です。

「マルクスがエピクロスの自然哲学を――実証科学を軽蔑した点には不満をかんじつつもなお――

高く評価したのは、エピクロスが自然必然性に対して人間の自由と主体性とを保証し、感性的現象世界こそ真の客観的対象であるとして実証的・現実的態度を貫徹したからであった。……マルクスがこの論文で自己意識の立場として主張している内容は、人間の自由と主体性を主張する自由主義、人間主義、感性的現実の率直な認識から出発する感性的現実主義、実証主義にほかならない。とすれば、このようなマルクスの立場はヘーゲル的自己意識の立場というよりも、むしろ……フランス18世紀の啓蒙思想の立場に近いということができよう。……ここで重要なのは、マルクスの立場は青年ヘーゲル学派一般に較べてフランス啓蒙思想への親近感をはるかに強く現しているということである」。

「当時のマルクスにおいては、ヘーゲル哲学とフランス啓蒙主義という二つの契機がいわば形式と内容というかたちで結びついていたのであり、その結びつきの媒介の役を果たしていたのが青年ヘーゲル学派の自己意識の立場であったということができよう」と述べられています。

マルクスが生涯彼の思想の中心に据えていた「人間の自由と主体性」という課題とともに、後に『経済学・哲学草稿』でとり上げられることになる、対象的＝感性的＝現実的という認識がすでにこの論文の中に現れていることは重要なことです。

4　ライン新聞への寄稿から編集長就任へ

その頃、プロイセン文部省の検閲強化と言論弾圧により、１８４１年にはブルーノ・バウアーがボン大学を解雇され、アーノルド・ルーゲはプロイセン国外への移住を余儀なくされるという厳しい状況にありました。マルクスは哲学者として学者の道を志し、ボン大学の講師になることを希望していましたが、それを断念しました。

１８４２年1月1日から、ライン地方の新興工業ブルジョアジーによって政治的機関紙『ライン新聞』が発刊されました。この新聞の編集準備を委ねられた人々の中には青年ヘーゲル学派の人たちがいたため、同新聞は次第に青年ヘーゲル学派の拠点と化しました。

１８４２年5月マルクスは初めて『ライン新聞』に寄稿することになり、彼の最初の寄稿文は『出版の自由と州議会の議事公表とに関する討論』でした。「マルクスがこの論説で主張しているのは、出版というものは人間的自由の実現にほかならないから、出版があるところには必ず出版の自由がなければならないし、検閲は出版の本質に矛盾するということである。……この論説において注目されねばならないのは、マルクスが自由こそ人間の本質であり、『自由こそは精神的現存在全体の類的本質である』と主張している点である」（前掲『若きマルクスの思想』）。しかも自由は理念という想像の領域に留めておいてはならず、現実の基盤の上に具体化されねばならないと主張しています。

マルクスは現実の問題に取り組んだ結果、真の哲学は現実世界との徹底的対決の中から生まれるのであり、またそうした対決を可能にするものでなければならぬということを自覚することになりました。

１８４２年10月からマルクスは『ライン新聞』の編集長に就任し、ケルンに居を移しました。彼は編集長として「森林盗伐取締法」の改変という経済問題と直面せざるを得なくなるとともに、社会主義・共産主義思想にたいする自己の態度決定を迫られるようになりましたが、これらの問題に対する理解の不足を痛感し、徹底的に研究する必要を感じました。これらの研究は編集長という多忙な仕事の片手間にできるものではなく、プロイセン国家の言論弾圧が厳しさを増す中で、新聞に対する検閲事情を理由として、１８４３年3月彼は編集長を辞任し、オランダへの旅に出ました。その直後の4月『ライン新聞』は発行禁止の処分をうけました。

１８４３年6月、マルクスは１８３６年に婚約したイェンニー・フォン・ウェストファーレンとクロイツナッハで結婚しました。イェンニーは彼の姉ゾフィーの友達で、かれよりも4歳年上でした。イェンニーの父ルードヴィッヒ・フォン・ウェストファーレンは既に１８４２年に亡くなっていましたが、生前はプロイセン政府の枢密参事官で男爵という非常に高い地位にあり、一般的に言えば、ウェストファーレン家はマルクス家とは不釣り合いな身分でした。

5　現実との対決からヘーゲル法哲学に対する根底的批判へ

マルクスが現実との対決において行き詰まりに達した直接の原因は彼がヘーゲルの国家観と法理念をそのまま継承していたことにありました。それゆえ、マルクスの当面の課題はヘーゲルの法哲学に対して根本的批判をやりとげることでした。しかし、ヘーゲルの法哲学を批判するためには新たな手掛かりがどうしても必要でした。

１８４３年２月ルーゲから送られてきた『アネクドータ』に掲載されていたフォイエルバッハの『哲学改革への命題』に出会い開眼しました。これこそマルクスにヘーゲル批判への手がかりを与えるものでした。すでに１８４１年に刊行された『キリスト教の本質』の中でフォイエルバッハは、哲学的に宗教の本質を深く追究して『神学を人間学へと解消し』神の本質は人間の本質にほかならないことを証明していました。１８４３年になってマルクスはフォイエルバッハの見解の革命的意義を深く理解し、この「人間主義」こそマルクスの自己批判に手がかりを与えるものと確信したのでした。

フォイエルバッハは『哲学改革の命題』において、ヘーゲルの哲学における「絶対精神」なるものは観念論哲学が人間から疎外し、対象化したものであり、実は人間の本質にほかならないということを明らかにしたのでした。フォイエルバッハは、新しい哲学は自然に基礎を置き自己意識を持つ人間から出発しなければならないとし、「現実的人間主義」ともいうべき新たな哲学的原理を主張しました。1844年にルーゲとともにパリで出版した『独仏年誌』の準備中の1843年にルーゲと交わしたマルクスの書簡が同誌に掲載されています。

それによると、当時マルクスはフォイエルバッハの現実的人間主義に全面的に共鳴していたことがうかがわれます。

マルクスは当時のドイツ専制国家が非人間的国家であり、専制主義の唯一の思想は人間蔑視に他ならないとし、「この社会を、人類最高の目的のための共同体、つまり民主主義国家とする」ことができるのは、「人間の自己感情、すなわち自由」以外にはないと考えました。マルクスがここで目指すのは「人間の解放」であり、その原理は「人間の自由」にほかならないとしています。このようにマルクスは1843年当時フォイエルバッハの現実的人間主義と殆んど同じ立場に立つことによって、ヘーゲル法哲学を批判する方法論を獲得したのでした。

マルクスは1843年3月から8月にかけて、ヘーゲルの『法の哲学』の批判にとりかかりました。

その手稿は彼の死後『ヘーゲル国法論批判』として公にされました。「ここでマルクスが問題の中心に据えているのは、市民社会がヘーゲルにおいてはどのようなかたちで政治的国家へと導入されているか、その際ヘーゲルの説明の仕方がどのような点で誤りをおかしているか、ということなのである」。（城塚登『若きマルクスの思想』）

ヘーゲル法哲学の批判的検討においてマルクスは一貫してフォイエルバッハの人間主義的立場に立って、ヘーゲルが国家と市民社会の媒介者とみなした官僚政治と身分・国会が全く媒介的役割を果たしておらず、近代政治国家においては市民社会と国家とは完全に分裂してしまっていることを確認しました。

市民社会と国家との分裂に関する研究の最初の成果が１８４４年に『独仏年誌』に発表された『ユダヤ人問題によせて』でした。この著作は、ブルーノ・バウアー（１８０９~１８８２）の著書『ユダヤ人問題』及び『現今のユダヤ人およびキリスト教徒の自由になる能力』に対する批判として書かれました。

キリスト教を国教としているドイツでは、ユダヤ人は差別を受け公民としての権利を与えられていませんでした。ユダヤ人が政治的に開放されていないことに対するバウアーの主張は次の2点に要約できます。第一に、キリスト教徒もユダヤ教徒もそれぞれの宗教に固執することをやめ、宗教を放棄したとき、初めてユダヤ人は公民として認められ、政治的に開放されるということ。次に国家が宗教を前提とすることをやめ、宗教が政治的に揚棄されるにことによって宗教そのものが揚棄されるということです。

これに対するマルクスの反論の詳細についてはここでは述べませんが、彼が主張している重要なことは次のようなことです。「近代社会における政治的解放は、封建社会における拘束（経済外的拘束）から人々を解放しはしたが、それは普遍的な人間的解放ではなかった」ということです。

近代社会においては普遍性・共同性を建前とする政治的国家と私利を追求する市民社会が分裂状態にあり、現実的・実質的な生活は市民社会にありながらも、同一の個人が市民社会の私人と国家における公人とに分裂して二重の生活をいとなんでいるととらえました。

政治的国家のかかえる宗教性の原因は人々の宗教的固執にあるのではなく、世俗的な市民社会における欠陥が宗教的とらわれを生むこと。宗教的とらわれから人々が解放されるためには普遍的人間的解放が必要とされるということです。

マルクスは政治的国家と市民社会が分裂した状態を克服するためには、市民社会の在り方、市民社会の欠陥を解明しなければならないと考えました。

若きマルクスは自由を愛する急進的民主主義者として出発しました。

第二章　社会主義と共産主義

「社会主義」も「共産主義」もマルクスが創唱者ではありません。

歴史的に見てみますと、社会主義あるいは共産主義に相当する思想はマルクスよりはるか以前からありました。

その発想の源流は、古代以来、私有財産制のない平等な共同生活を人間社会の自然状態として理想化し、理想郷の実現を志向する哲学・社会思想・宗教運動や、これらと結び付いた下層の民衆の反乱などに、くり返し表明されてきました。

1　マルクス以前の代表的な社会主義的・共産主義的思想家

(1) 近代以前のユートピア的思想家

イギリス人、トーマス・モア（１４７８～１５３５）は１５１６年に『ユートピア』という本を書きました。これが「ユートピア」の語源となりました。ユートピア（utopia）とは彼がギリシャ語のｕ（ない）とtopos（所）を合わせて作った造語で、「どこにもない所」という意味です。つまり、現実には存在しない理想郷あるいは理想の社会ないし理想の世界を意味します。

（2）近代初期の社会主義・共産主義思想家

これらの思想は近代社会を告げるフランス革命に対する失望や産業革命の弊害、初期資本主義にすでに現れていた矛盾に対する批判から生まれたと言えます。

フランス：フランソア・バブーフ（1760〜1797）
　　サン・シモン（1760〜1825）
　　シャルル・フーリエ（1772〜1837）
イギリス：ロバート・オーウェン（1771〜1837）
フランス：エチェンヌ・カベー（1788〜1856）

ここで、それぞれの人の思想・理論について述べることは省略することにし、資料1　ユートピア的社会主義思想について（P45〜53）をご参照下さい。

2　「社会主義」、「共産主義」という用語の使用の始まり

（1）「社会主義」（英語でSocialism、仏語でSocialisme、ドイツ語でSoziarismus）については諸説ありますが、一般にはフランスの初期社会主義者ピエール・ルルーが１８３１年に書いた『個人主義と社会主義』という論文で、当時流行し始めた「個人主義」に対抗して「社会主義」という用語を使ったのが最初と言われています。

（2）「共産主義」（英語でCommunism、仏語でCommunisme、ドイツ語でKommunismus）について

フランスにおける１８３０年の７月革命から１８４８年の２月革命にかけて、ヨーロッパ諸国は社会的激動に見舞われました。その激動のなかで社会主義とならんで「共産主義」という用語が使われるようになりました。目標も社会主義と重なり合っていましたが、社会主義に比べてより徹底的であり、その実現の方法もより急進的かつ戦闘的な思想とみなされていたようです。

「共産主義」の語源について明記した文献を見たことがありませんが、『歴史としての社会主義』（和田春樹著、岩波新書34～35Ｐ）に初期社会主義者の一人でフランス人エチェンヌ・カベーについて述べた節があります。

カベーの著書『イカリア旅行記』（１８４０年）のなかで、彼が描いた共産主義社会において財産の共

有制および生産手段の共有体を「コミュノテ」（フランス語でCommunaute）と表現されています。フランス語の辞書を見てみると、Communauteには「共同体」とともに「共有財産制」という意味があります。共産主義の語源はどうやら「コミュノテ」ではないかと推測しています。

前記のように、「社会主義」と「共産主義」は必ずしも厳密に区別されて用いられてきたとは言えません。

また「社会主義」及び「共産主義」にかんする一般的な定義はありませんが、おおまかに言えば、両者の定義はほぼ同様のものとなり、次のように述べることができると思います。

生産手段の私的所有（私有財産制）を廃止し、生産手段の共同的所有を基礎とし、階級的支配と抑圧のない、自由で平等な、貧富の差のない社会を実現しようとする思想及びそれを実現しようとする社会的運動を意味するということができると思います。それとともに、実現しようとする社会体制を意味する場合もあります。

『共産党宣言』（マルクス、エンゲルス共著、１８４８年発表）は、その前年にロンドンで結成された「共産主義者同盟」からマルクス、エンゲルスに委託されて、作成された宣言でした。この同盟には、マルクス、エンゲルスのような共産主義者のみでなくバクーニン派やプルードン派のような無政府主義者が多数参加していました。共産主義社会を実現する方法論に相違があっても、共産主義社会を志向する仲間とみなされた人々は同盟に加入することができたのです。

従って、この宣言は「共産党」設立の宣言ではなく、「共産主義者同盟」の設立宣言ですから、「共産主義者同盟宣言」あるいは「共産主義者宣言」と呼んだ方が正しいという意見が少なくありません。

ちなみに、日本で最初に『共産党宣言』が翻訳されたのは１９０６年（日露戦争が終了した翌年）のことですが、翻訳者は無政府主義者の幸徳秋水と社会主義者の堺利彦でした。

3　コミンテルン（共産主義インターナショナル）の設立と共産主義（共産党）と社会民主主義（社会民主主義政党）の区別

１９１９年3月モスクワで、レーニンの提唱により結成された各国共産党の国際的な統合組織です。労働者階級の多数を共産主義の側に獲得し、世界にプロレタリア政権を樹立することが目的であるとされました。

社会民主主義諸政党の国際組織である「第2インターナショナル」と区別するために、「第3インターナショナル」とも呼ばれました。

コミンテルンへの各国共産党の参加は1国1党に限られ、参加各党はコミンテルンの支部とされました。最も重要な参加条件として、革命政権の政治形態は、「プロレタリア独裁」であることを認めることが不可欠とされました。このことに関連して、「プロレタリア独裁」を認めるか否かが共産党（共産主義者）と社会民主主義政党（社会民主主義者）を区別する試金石とされるようになりました。

ソ連共産党を中心とした国際共産主義運動の指導機関として、強力な指導力が行使されましたが、第２次世界大戦の勃発後、世界の共産主義運動を単一の指導部が指導することは、各国の革命運動の妨げになるとされて、１９４３年６月に解散しました。

歴史的には、共産主義・共産主義者・共産党と社会民主主義・社会民主主義者・社会民主主義政党との区別は明確ではありませんでした。ちなみに「ロシア共産党」は革命後の１９１８年７月に党名を変更する前は「ロシア社会民主労働党（ボリシェヴィキ）」でした。ロシア革命や、コミンテルン結成等の影響により両者が区別される傾向が強くなりました。

第三章　マルクス主義は科学的社会主義か？

マルクスが「唯物史観」と「剰余価値学説」を発見したことによって、社会主義はユートピア思想から科学になった、とエンゲルスは主張しました。

この考えは、レーニンを介して、その後長く国際共産主義運動の中で広まり保持されてきました。しかし、この考えは誤りであると言わなければなりません。

マルクス主義の思想・理論は、近代科学の概念に照らしてみるならば、科学ではなく、あくまでも「思想」、「イデオロギー」の領域に入るべきものと考えます。思想やイデオロギーとは人間の生活や社会の全体像を対象とする思索や理論を言い、個別科学の集積によって成り立つものではありません。

一般に、近代科学の法則とされるものは、「厳密に限定された一定の対象領域における因果関係」を意味し、「理論的整合性と実証性」をその特性としています。

1　ユートピア的社会主義に対する科学的社会主義

マルクスとエンゲルスは、『共産党宣言』（１８４８年）の中で、彼等に先行する近代初期の社会主義者のうち、サン・シモン、シャルル・フーリエ、ロバート・オーウェンの名をあげて、彼らをユートピア的社会主義ないしユートピア的共産主義であるとして、厳しく批判しています。

エンゲルスは、１８８０年『ユートピアから科学への社会主義の発展』というマルクス主義の入門書として名高い本を著しました。

その中で、彼はマルクスに先行する近代初期の社会主義者のうちサン・シモン、シャルル・フーリエ、ロバート・オーウェン等の社会主義とマルクスの社会主義とを比較して、前者の社会主義を「ユートピア的社会主義」であるとし、マルクスのそれを「科学的社会主義」であると規定しました。

またエンゲルスはマルクスの告別式における弔辞の中で、「ダーウィンが生物社会の発展法則を発見したように、マルクスは人間の歴史の発展法則を発見しました」（『マルクス・エンゲルス全集』19―３３1）と述べています。

マルクスが「唯物論的歴史観」（唯物史観あるいは史的唯物論とも呼ばれる。以下唯物史観という）と経済学上の「剰余価値学説」を発見したことによって社会主義をユートピア思想から科学へと発展させたというのです。

エンゲルスは、マルクスの唯物史観を「科学」とし、そのなかに含まれる諸命題を歴史を貫く客観的「法則」とみなしたのです。

元日本共産党中央委員上田耕一郎氏は、「マルクス主義はすでに仮説の一つではなく人類の実践によって検証ずみの唯一つ体系的科学である」(『マルクス主義と現代イデオロギー』上の「プラグマティズム的変質の限界」１９６３年)と述べていますが、これはエンゲルスの見解の無批判的継承です。

現存する近代市民社会＝資本主義社会の存立基盤である資本主義経済に対する批判的分析によって得られた「剰余価値学説」もまた社会科学的に画期的な業績であると思われます。しかし、唯物史観と剰余価値学説の発見によって、マルクスの社会主義が科学的社会主義になったとするエンゲルスの見解に関しては多くの批判があります。

マルクスの社会主義理論は、ユートピア的社会主義から学びつつも、それを超える理論を提起していると思います。しかし両者を区別する決定的な基準は存在しないと考えられます。

2 「唯物史観」は人類史を見る基本的な見方・考え方

レーニンもまた次のように述べ、マルクスの唯物史観を科学的理論としてとらえ、賛美しています。

「マルクスは、哲学的唯物論をふかく結集させて、それの自然認識を人間社会の認識へとおしひろげた。科学思想の最大の成果は、マルクスの史的唯物論であった。それまで歴史観と政治観を支配していた混沌と気ままは、驚くほど全一的な、整然とした科学的な理論にとってかわられた」。(「マルクス主義の三つの源泉と三つの構成部分」『レーニン全集』19―5)

ロシア10月革命以降、同革命の最高指導者レーニンがマルクス主義の正統な後継者と評価され、その経済理論や国家論・哲学などが科学的社会主義の発展とみなされました。

しかし、唯物史観を科学或いは法則とする認識が本格的に体系化されたのは、スターリン支配の時代でした。

「マルクス・レーニン主義」と「科学的社会主義」とはほぼ同義語として用いられるようになりました。

社会主義思想・理論の正しさが、科学的真理として証明されていると見なされて絶対化されていくという過程をたどることになりました。その結果、絶えず自己の思想・理論を相対化し、反省するという思考形態が失われていきました。

唯物史観は、歴史の解明によって導き出された客観的な科学的法則とはいえず、マルクスの「人類史を見る基本的見方、考え方であり、歴史認識の導きの糸」であったと理解すべきであると思います。

「近代初期の社会主義者」については資料1（後掲）を、「唯物史観」については資料2（後掲）をご参照下さい。

3　近代初期の社会主義とマルクスの社会主義との相違

エンゲルスによってユートピア的社会主義と呼ばれた、フランス人のサン・シモン、シャルル・フーリエ、イギリス人のロバート・オーウェンの他に、有名な社会主義者ないし共産主義者としてフランス人のバブーフ、エチェンヌ・カベーなどが挙げられます。

ところで、前記『ユートピアから科学への社会主義の発展』のほとんどの日本語訳では、「ユートピア的社会主義」は「空想的社会主義」と訳されてきました。このことは「ユートピア的社会主義」に関して大変な誤解を与えてきたものと思われます。

（1）ユートピア的社会主義に共通する特徴

まず第一に資本主義社会の発達が未成熟であり、それに伴って労働者の階級としての形成も不十分であったという歴史的・社会的背景がありました。従って、労働者階級と資本家階級との間の階級対立もまだ激しくはなっていませんでした。

このような社会状況の中でも、社会主義者達は産業革命や資本主義社会に潜む矛盾を鋭く感じ取り、それに対抗する理想の社会をさまざまな形で描きました。そこには未来社会に関する天才的予見もみられます。

彼等は資本主義社会、ことに私有財産制度とそこから生じる社会悪を激しく攻撃し、これに対抗して財産の共有、共同労働、共同生活などを賛美しました。

しかし現存社会の矛盾の原因の把握が未熟であること、社会を変革する方法、社会変革の主体は誰なのか、ということを把握することができませんでした。

そこで、理想を実現するために、知識人や資本家の良識や善意に訴えました。それはフランス大革命期にみられた人間の理性に全面的な信頼をおいた理性主義・啓蒙主義の継承ということができると思われます。

（2）ユートピア的社会主義からの思想・理論の継承

マルクスやエンゲルスはユートピア的社会主義者を手厳しく批判しながらも、未来社会に関してユートピア的社会主義から学んだことは少なくありませんでした。

例えば、サン・シモン主義者の一人、ルイ・ブラン（1811〜1882）は『労働の組織』（1850年）の中で、社会主義の最終段階においては、「各人がその才能に応じて生産し、その必要に応じて消費する」と述べています。

マルクスが『ゴータ綱領批判』（1875年）で述べている、「共産主義のより高度の段階で、……社会はその旗の上にこう書くことできる――各人はその能力に応じて、各人はその必要に応じて！」という未来社会のスローガンはルイ・ブランやエチェンヌ・カベーらのスローガンを借用したと言えます。

またロバート・オーウェンからは「アソシエーション」（協働組合運動）などを、フーリエからは「分配ではなく生産様式の変革」の重要性を学んだと言えます。

4　マルクスの社会主義

未来社会を生みだす原動力は資本主義社会の中で形成された高度の生産力と社会の圧倒的多数者である労働者階級である。

革命が成立する要因は労働者階級の主体的意識の形成と経済的恐慌である。

（1）マルクスは、資本主義社会を人類史の発展のなかで位置づけました。資本主義社会は、古典派経済学者が信じたような、永遠で調和のとれた社会制度ではなく、人類史の特定の発展段階に限定して存在しうる社会システムであるととらえたのです。

資本主義社会の中では、産業革命によって発展させてきた巨大な生産力と資本主義的生産関係（生産関係とは生産活動を行う際に人と人とが相互にとり結ぶ社会的関係を意味します）の対立は資本主義社会の内部では解決が不可能になり、この社会を崩壊に導く可能性を内包していると洞察しました。

彼は資本主義社会のもつ矛盾・諸悪を克服する未来社会を生みだす原動力は資本主義社会そのものの中にあることを洞察しました。その一つは資本主義のなかで発達した高度の生産力であり、もう一つは社会の圧倒的多数を占めつつある労働者階級の存在です。そして労働者階級こそが来るべき革命の主人公であるとみなしました。

資本主義社会は資本家階級による労働者階級に対する支配の上に成り立っています。従って、労働者階級は自己否定しなければ、自己肯定できない存在です。自己否定とは労働者階級の一人一人が自分が置かれている立場を認識し、その立場を否定し変革することを意味します。自己肯定とは、自分が納得のできる状態を獲得することです。

労働者階級の解放こそが人類解放の歴史的条件になるとの観点に立ちました。
(2)マルクスは、社会の根底的変革を行う革命が成立する要因として、労働者階級の革命的意識の形成という主体的条件とともに、経済的「恐慌」という客観的条件を重視する立場に立っていました。経済恐慌においてこそ資本主義社会の矛盾が赤裸々に暴露されるからです。

「ほんとうの革命は、近代的生産力とブルジョア的生産形態が、たがいに矛盾に陥る時期にだけ、可能である」。(1850年、マルクス『フランスにおける階級闘争』)

「新しい革命は新しい恐慌につづいてのみおこりうる。しかし革命は恐慌が確実であるように確実である」。(1850年、『新ライン新聞・政治経済評論』)

革命が必然的であるのは、資本主義社会が抑圧された労働者階級の労働の上に成り立っていることにあります。経済恐慌はその社会機構の破綻であり、革命が起きる誘因です。

ここで新しい革命とはプロレタリア革命ないし社会主義革命を意味していますが、その革命が起きる条件として経済的な「恐慌」が背景として必要だとしつつ、恐慌は必ず起きるし、革命も必ず起きると述べています。

しかし、その後の歴史を見ると、恐慌は幾度も起きましたが、革命は恐慌のたびには起きませんでした。つまり、恐慌は革命が起きるための必要条件ではあっても、十分条件ではないと言えます。恐慌が起きれば、それに引き続いて自動的に革命が起きるのではなく、労働者階級が革命の主体として形成されることなしには革命はありえないことを物語っていると思います。

もう一つ重要なこととして、社会主義革命は一国的規模やヨーロッパ的規模ではなく、世界的規模の「世界革命」として起きると、マルクスは提起していたことです。

（3）労働者階級の解放は労働者階級自身の事業である。

労働者階級が新たな社会の担い手になるためには、自己変革が必要である。

マルクスは労働者階級の解放について次のように述べています。

「労働者階級の解放は、労働者階級自身によってたたかいとられなければならないこと、労働者階級解放のための闘争とは、階級特権と独占のための闘争ではなく、平等の権利義務とあらゆる階級支配の廃絶のための闘争を意味すること、労働用具すなわち生活源泉の独占者への働く人の経済的隷従が、あらゆる隷属、あらゆる社会的悲惨、精神的退化、政治的従属の根底にあること、それゆえに、労働者階級の経済的解放が大目的であって、あらゆる政治運動は手段としてこの目的に従属すべきであること」。（１８６４年10月『国際労働者協会一般規約』趣意　国民文庫15）

「この共産主義的意識の大量的な産出のためにも、また事業そのものの貫徹のためにも、人間の大量的な変化が必要であり、そしてこれはただ実践的な運動すなわち革命においてのみおこりうるのである。だから革命が必要であるのは、たんに支配階級が他のどんな方法によってもうちたおされえないからだけではない。さらにうちたおす階級が、ただ革命においてのみ、いっさいのふるい汚物をはらいのけて社会のあたらしい樹立のちからをあたえられるようになりうるからである」。(『ドイツ・イデオロギー』古在由重訳　岩波文庫)

マルクスは、労働者階級は資本家階級を打倒するだけでなく、革命のなかで「自己変革」を遂げなければならないと述べています。労働者階級は、昨日までその中に居た資本主義社会の古い汚物を払いのけることによって初めて、新しい社会の建設の担い手になりうると。

資料1　ユートピア的社会主義思想について

1　近代以前のユートピア思想

イギリス人、トーマス・モア（１４７８～１５３５）は、１５１６年に『ユートピア』という本を書きました。

この本では大洋の中の孤島で、人々が私有財産も貨幣も持たず、農業を基本とする労働に従事し共同生活を営む様子が描かれています。モアは牧羊地を作るためのエンクロジャー（囲い込み）によって、耕作地から追放された多くの農民が悲惨な状態に陥っている事態を目の当たりにして、保守的立場から近代化に対する批判を表しています。

ちなみに、トーマス・モアはオックスフォード大学を出て裁判官になり、ヘンリー8世の好意を得て昇進し、一時は大法官の地位にも就きました。しかし、国王の宗教政策に反対し、１５３２年辞任しました。さらに１５３４年には国王の離婚に反対したため幽閉され、翌１５３５年反逆罪で処刑されました。

2　近代初期の社会主義者

（1）フランソワ・バブーフ（1760〜1797）

バブーフは、フランス革命が掲げた「自由・平等・友愛」は革命によっては実現されず、フランス革命に失望しました。平等な社会は資本主義社会においては実現されないと考え、富を打倒して私有財産制を廃止し、人民主権の社会をつくる必要があるという考えに立ちました。

そのための過渡的権力として独裁的革命権力による強力な改革が必要であるとし「平等、自由、共通の幸福を――しからずんば死を！」というスローガンを掲げました。

1796年バブーフは陰謀組織をつくり、武装蜂起の準備をしていましたが、内部通報によって陰謀は発覚し、1797年ダルテとともに処刑されました。

彼が理想的社会としていたものの基本は農業的生活と共同体精神です。社会組織のすべてが「国家の監督・規制のもとに置かれることになり、その社会は「個々の市民に平等を強制する」ものでした。もしもバブーフのめざした共産主義社会が実現したとするならば、フランス人に「共通の幸福の奴隷制」を強制することになるだろうと、ゲルツェン（ロシアの思想家・革命家）が評しています。（和田春樹『歴史としての社会主義』岩波新書　より引用）

彼の武装蜂起の陰謀は失敗しましたが、独裁的革命権力によって共産主義を実現しようとする考えは、後の社会主義思想に非常に大きな影響を与えました。

（2）サン・シモン（1760〜1825）

アメリカの独立運動に従軍した後、フランスの伯爵の地位を捨てたという経歴があります。百科全書派（18世紀フランスの啓蒙思想を総括する『百科全書』の執筆に参加した思想家群）の影響を受け、理性主義と歴史の進歩を確信し、フランス革命後のフランスは産業者（生産者）階級の支配する科学的・産業的時代でなければならないとしました。同時に彼は、産業社会では階級支配の道具としての国家は死滅するという説を述べ、後の社会主義に影響を与えました。

彼の思想は、産業主義と呼ぶことができます。彼のいう産業とは、あらゆる生産的活動を意味しています。そして社会の発展の原動力は科学と産業にあるとし、それらの発展がもたらす未来の社会を「産業社会」としてとらえています。

その産業社会の組織の主体となるのは、農業・工業・商業に従事する「産業者」で、これらが社会において第一等の地位につかねばならないとしました。産業と産業者が新しい富と道徳を作りだすとし、真の産業社会では生産力の向上により労働者の境遇は改善され、人々に最大の自由と平等を保障するとしました。

彼は、管理的・産業的・平和的制度＝ユートピアを実現することが目標であるとし、このユートピアは能力による管理を前提としています。産業者は平等ですが、能力によって階層的に編成され、割り当てられた任務を遂行します。この制度は近代的軍隊をモデルとした産業社会の組織ということができると思われます。

彼の思想は、彼の教えを受けたサン・シモン主義者たちによって社会主義的な方向で継承されることになりました。

（3）ロバート・オーウェン（1771〜1858）

イギリスのウェールズ出身。１８００年から約25年間、スコットランドのニュー・ラナークで当時としては最大級の綿紡績工場を経営していました。

彼は、資本主義経済の欠陥の一つとして、貨幣の価値からの乖離をとりあげ、貨幣を廃止して、「労働を価値の尺度」として用いることを提案しました。

また、機械の発明によって生産力の大きな増加がもたらされましたが、その反面際限のない機械の発明と利用の拡大が社会に大きな弊害をもたらすとして、農業に従事する人口を増やすことを提案しました。

数百人から二千人の住民が農業と工業を共同労働で兼業するとともに、衣食住と子弟の教育を共同でおこなう共同組合（アソシエーション）を創出することを提案しました。

彼は理想を実現するために、１８２４年に工場経営をやめ、アメリカのインディアナ州に土地を買い、「ニュー・ハーモニー村」を建設しました。残念ながらこの試みは成功せず、１８２９年に帰国しました。

オーウェンは、人間の人格形成に生活環境が重要であることを認め、労働環境の改善、児童労働の禁止、年少労働者の労働時間制限に努めました。そして、新しい社会の秩序の形成の主要な道は教育であるという結論に達しました。

１８３０年代には労働者階級の間に支持者を得るようになり、支持者の中から協同組合運動、チャーチスト運動、女性解放運動などの多くの担い手を輩出しました。

（４）シャルル・フーリエ（１７７２~１８３７）

ａ　フランスのブザンソンの裕福な商人の家に生まれ、自らの体験から商業の欺瞞性、産業主義による貧困の発生、独占をもたらす競争などを告発し、社会発展の原動力である人間の諸情念に従った理想的共同社会の実現を希求しました。

フーリエは中央集権的権威を嫌い、連邦主義、分権化、自由で調和的な小規模な共同体を志向し、当時の産業主義とは逆の方向を向いていました。

産業主義のような、自然に対する人間の支配の拡大、それに伴う人間の欲望の増大、それらの連鎖的な限りない成長運動を人類社会の進歩とする思潮に背を向けていました。

フーリエとその後継者コンシデランが産業社会の諸矛盾を克服するために構想した理想的共同社会をファランジェと呼び、その実現形態はファランテールと呼ばれる共同生活組織です。

そこでは、宇宙の引力にも等しい神の摂理たる人間の情念の計算に基づいて農業労働と小工業を配置すれば、人間の必要や欲望をはるかに超える富を生みだすことができるというのが彼の構想でした。

b　マルクスのフーリエに関する評価：「労働はフーリエが望んでいるのとは違って、遊びとはなりえないが、そのフーリエが分配ではなくて生産様式それ自体をより高度の形態のなかに止揚することこそ究極の目的だ、と明言したことは、どこまでも彼の偉大な功績である」。（１８５８年、『経済学批判要綱』草案　p４９９~５００）

c　フーリエ主義：フーリエの思想の後継者・信奉者たちによるフーリエ思想の宣伝活動と共同体建設

の実験が広く行われました。実践活動の舞台としては、フランス、アルジェリア、イギリス、ルーマニア、ロシア、北アメリカ、ブラジルなどが挙げられます。

（5）エチエンヌ・カベー（1788～1856）

カベーはフランスの地方都市の職人の子でしたが、リセ（フランスの公立中等学校）を出て弁護士になりました。王政復古期に秘密結社カルボナリに参加し、1830年の7月革命に積極的に関わりました。1834年国王ルイ・フィリップに対する筆禍事件で起訴されたため英国に亡命しました。亡命生活の時期にモア、オーウェンなどの思想の影響を受けて共産主義者になりました。

1840年彼は自己のユートピアを『イカリア旅行記』として著しました。それは、初期社会主義者の構想したユートピアのうちで最も整ったものとされています。

詳細は省略しますが、ユートピア「イカリア国」は社会的・政治的平等を基礎とした人民主権の民主共和国で、普通選挙によって運営されています。

経済的には、生産手段はすべて国有か共有体（コミュノテ）所有です。工業は大工場が主体で、各工場は特定の製品の生産に特化しています。各工場が生産する製品の種類とその量は国家の産業委員会が決定します。

労働は能力によって差別されず、平等に扱われます。貨幣は国内の生活では使用されず、外国との貿易にのみ使用されます。

「共有体は万人のための相互的、かつ普遍的保障である。過酷でない労働と引き換えに、共有体は各人に教育、結婚の可能性、食事、居住、要するにすべてを保証するのである」というように、ゆきとどいた社会保障制度が実施されています。

カベーのユートピアは、各人の能力による管理を前提としたサン・シモン主義に対する批判を含んでいたと言えます。

この共産主義思想は都市の熟練労働者層を中心にフランス各地に広範な影響力を持ったとされています。

1848年2月革命が起きると、カベーは政治クラブを組織し、3月のデモではブランキと共に指導的役割を果たしましたが、4月の立憲議会選挙では落選しました。

1848年末、彼は弟子たちと共にアメリカに渡り、イリノイ州ノーヴーで「イカリア共同体」を建設しました。残念ながらこの試みは数年で失敗し、かれはアメリカのセントルイスで没しました。(和田春樹著『歴史としての社会主義』岩波新書より引用)

ユートピア的社会主義者の功績：バブーフの陰謀、オーウェンの「ニュー・ハーモニー村」建設、フーリエ主義者たちの共同体（ファランステール）の建設、カベーとその賛同者たちの「イカリア国」建設はいずれも失敗しました。しかし、彼等は単にユートピアについて机上で想像をたくましくしていただけでなく、それぞれの理想の社会を現実の世界に実現しようとして果敢に実現に取り組みました。その勇気は高く評価されねばならないでしょう。

彼等の思想と理論と勇気ある行動は、資本主義社会に対する批判者の多くを勇気づけ、この社会の変革を志す運動に影響を与えたに違いありません。

資料2　唯物論的歴史観（唯物史観または史的唯物論）について

（1）マルクスの唯物論的歴史観の基本的概念は彼が著した『資本論』の草稿ともいうべき『経済学批判』の序言に次のように述べられています。
「人間は、かれらの生活の社会的生産において、一定の、必然的な、かれらの意志からは独立した諸関係を、すなわち、かれらの物質的生産力の一定の発展段階に対応する生産諸関係をとりむすぶ。この生産諸関係の総体が、社会の経済構造をかたちづくる。これが実在的土台であり、その上に法的かつ政治的な上部構造がそびえたち、またそれに一定の社会的意識諸形態が対応する。物質的生活の生産様式が、社会的、政治的および精神的な生活過程一般を規定する。人間の意識がかれらの存在を規定するのではなく、逆にかれらの社会的存在が彼らの意識を規定するのである。社会の物質的生産諸力は、その発展のある段階で、それらがそれまでそのなかで運動してきた既存の生産諸関係と、あるいはそれの法的表現にすぎないものである所有諸関係と、矛盾するようになる。これらの生産諸関係は、生産諸力の発展諸形態から、その桎梏に転化する。その時に社会革命の時代が始まる。

経済的基礎の変化とともに、巨大な上部構造の全体が、あるいは徐々に、あるいは急激にくつがえる。……おおづかみにいって、アジア的、古代的、封建的および近代ブルジョア的な生産諸様式が、経済的社会構成のあいつぐ諸時期として指示されうる。ブルジョア的生産諸関係は、社会的生産過程の最後の敵対的形態である。……しかしブルジョア社会の胎内で発展しつつある生産諸力は、同時にこの敵対の解決のための物質的諸条件をつくりだす。したがって、この社会構成でもって人間社会の前史は終わる」。（『資本論草稿集』13―6～7　大月書店）

（２）以上のことを要約してみますと、次のようになります（著者）。

①人類の社会の基底には物質的生産がある。

②物質的生産力の一定の発展段階に相応して、人々は一定の生産関係（生産に関連して人々がとり結ぶ社会的関係）を取り結ぶ。その生産関係の総体が社会の経済構造＝土台を形作る。

③その上に法的・政治的・文化的意識などの上部構造が形成される。人間の意識が彼らの社会的あり方を規定するのではなく、逆に彼らの社会的あり方が彼等の意識を規定するのである。

④生産力が発展し、既存の生産関係との矛盾が増大すると既存の生産関係は桎梏（束縛）に転化する。

⑤その時社会革命の時代が始まり、上部構造が崩壊し新しい生産関係が生まれるようになる。

ここで「人間社会の前史」という言葉が使われていますので、説明しておきます。

マルクスは、前記の『経済学批判』序言でも述べられているように、人類史の発展段階を経済的社会構成の形態の違いによって区分しました。近代ブルジョア的生産様式＝資本主義社会は社会的生産過程に階級的敵対関係が存在する最後の形態であると言い、資本主義社会までを「人間社会前史」とし、資本主義社会の崩壊とともに「人間社会の前史」は終わり、次の共産主義社会から「人間社会の本史」が始まると述べています。

（３）いわゆる「唯物論的歴史観」について

マルクスは、『資本論』第一巻を１８６７年に出版しましたが、それに先立つ１８５９年に『資本論』の草稿とも言うべき『経済学批判』を出版しました。その序文の中で、後に「唯物論的歴史観」（「唯物史観」、「史的唯物論」などとも呼ばれる）と呼ばれることになるマルクスの人類史を見る基本的観点について述べています。

マルクス自身はその提言に関して「唯物論的歴史観」とか「唯物史観」などという用語はどこにも用いていません。しかし、マルクスの歴史観が誤って理解されて、体系化される過程でこのような用語が用いられるようになったと言えます。

マルクスの盟友エンゲルスは、マルクスの告別式における弔辞の中で「ダーウィンが生物社会の発展法則を発見したように、マルクスは人間の歴史の発展法則を発見しました」とのべました。

マルクスが提示したのは、人類史を見る観点、歴史を解明するための方法でしたが、エンゲルスはそれを、人類史の研究によって解明された「人類史を貫く大法則」と理解したのです。

レーニンはエンゲルスの立場を継承し、次のように述べています。「マルクスは哲学的唯物論を深め発展させて、それを徹底させ、それの自然認識を人間社会の認識へとおしひろげた。科学思想の最大の成果は、マルクスの史的唯物論であった。それまで歴史観と政治観を支配していた混沌と気ままは、驚くほど全一的な、整然とした科学的な理論にとってかわられた。」(「マルクス主義の三つの源泉と三つの構成部分」『レーニン全集』19—5)

唯物史観を科学的法則とする理解が本格的に体系化されるようになったのは、スターリン支配下のソ連においてでした。

そこでは、物質界全体を貫く法則を明らかにしたとされる「弁証法的唯物論」を基礎として、それを社会に適用することによって得られた法則が「唯物史観」ということになりますが、詳細は省略します。

第四章　マルクスと自由

マルクスにとって、未来社会（共産主義社会）を建設する究極の目的は何だったのでしょうか。それは「自由」の実現にあったということができます。

彼にとって自由とは、社会を構成する人々の一人一人が相互に各人の個性を認め合い、それを全面的に開花・発展させることを意味します。

資本主義の基本的理念ともいえる「自由主義」の自由の本質は、欲望を無制限に追求することを肯定する人間観を意味します。それは私有財産制と利潤を追求する経済的自由を擁護する立場です。当然のことながら、そこには排他的競争を避けることができません。

マルクスの希求する自由は資本主義社会の中では実現することはできません。生産手段の共有（社会的所有）を基礎として、自由で対等な生産者たちによる共同生産が必要だからです。

1　自由と平等

マルクスが共産主義社会を実現しようとした究極の目的は、前述したように「自由」の実現にあったといえます。

思想史的観点からみると、人類の歴史は自由を獲得する歴史であったということができます。『共産党宣言』第2章の結語の「……各人の自由な発展が、万人の自由な発展のための条件となるような連合体が出現する」(4—496)という言葉にマルクスの目的が端的に示されています。マルクスにとって「自由」とは、主体としての個人の確立と自由な個性の実現であるということができます。

マルクスは未来社会の根本原理あるいは根本理念を「人間の自由」、「自由の実現」においていました。根本理念が「平等」ではなく自由であると聞くと、意外の感をいだく方が少なくないかもしれません。近代の共産主義思想の草創期のほとんどの思想家が掲げた共産主義社会の根本理念は「平等」でした。たとえば、フランスの革命家フランソワ・バブーフ（1760～1797)、ユートピア的社会主義者と呼ばれ、アメリカで社会主義的コミューンの実験を試みたフランス人エチェンヌ・カベー（1788～1856)、フランスの革命家オーギュスト・ブランキなどの根本理念は「平等」でした。

1848年にマルクス、エンゲルスが指導的役割をはたして成立した共産主義者同盟の前身ともいうべき「義人同盟」（１８３７年頃成立）の指導者、ドイツ人ヴァイトリングもまた絶対的平等主義に基づく共産主義思想を堅持していました。

彼等は友愛・平等を第一とし、自由をその次に位置づけました。

１９１７年のロシア10月革命の指導者レーニンの残した著書を見ると、彼が描いた未来社会は、個人の自由な発展よりも社会的平等の達成を根本とした平等主義的な社会であったと理解することができます。（第Ⅱ編第十章「レーニンの国家論・革命論・プロレタリア独裁論」〔後掲〕をご参照下さい）

10月革命以降のソ連邦では、共産党一党独裁の政治と、官僚主義的な中央集権的指令型経済という政治・経済体制のもとで、人々には自由があたえられませんでした。

2　マルクスが志向した「自由」とは

マルクスは若い頃から一貫して自由の根本は「個性の実現」にあるという考えに立っていました。彼の著作『経済学・哲学草稿』（１８４４年、全集40―４６２）では「個性の確認」或いは「個性の確証」を自由としています。『ドイツ・イデオロギー』（１８４５〜１８４６年　エンゲルスと共著、広松渉訳１２６）では「個人の素質の全面的形成」を「人格的自由」と呼んでいます。

これらのことから、マルクスの求めた人間の自由とは、社会の構成員である一人一人の個人の素質や能力の全面的な発現・開花・発展を意味しているといえます。

さらに、個性の外に向かっての発現という客観的側面とともに、自己の個性の発現を主体として確認（自己確認）するという主観的・内面的側面が伴うことによって、はじめて個性の実現が成立するとしています。言いかえれば、「個人の素質の全面的形成」と「個性の確認」とは分かちがたく結合して表裏一体をなすべきものであると考えていたと言えましょう。

個人の自由の実現という場合、それは決して個人主義的な自由を意味しているのではなく、「各人の自由な発展が万人の自由な発展のための条件となるような」（１８４８年、マルクス、エンゲルス共著『共産党宣言』前掲）社会の構成員相互の自由の実現をめざしています。

多様な個性が発揮されうる自由がえられて初めて個々人の主体的人格が確立し、多様な生き方を相互に認め合い尊重することができるようになります。

自由の拡大と主体としての人格の確立は相伴うものです。

3　マルクスの著作に見られる「自由」に関する言葉

マルクスは自由について、まとまった論文を残していませんが、彼の多くの著書に自由について深い意味をもった言葉があります。その幾つかを挙げてみましょう。

（1）「自由こそは人間の本質であり、自由こそは精神的存在の類的本質である」（１８４２年、『ライン新聞』への最初の寄稿「出版の自由と州議会の議事録公表とに関する討論」）

（2）「共産主義社会、すなわち個人個人の独自な自由な発展が決して空文句ではない唯一つの社会」「共同社会においてはじめて各個人にとって、彼の素質をあらゆる側面にわたって陶冶する手段が実存するようになる。共同社会においてはじめて人格的自由が可能となる」（１８４５年　マルクス、エンゲルス共著『ドイツ・イデオロギー』広松渉訳　１２６頁）

（3）「諸個人の普遍的な発展のうえに、また諸個人の社会的力能としての彼ら共同体的・社会的な生産性を従属させることのうえにきづかれた自由な個性は第三段階である」（１８５７〜１８５８年『経済学批判要綱』Ｉ　高木幸二郎監訳）

（4）「自由の国はじっさい、必要や外的目的性によって余儀なくされている労働がなくなる場合にのみはじまる。したがって……それは本来の物質的な生産の彼方にある。この領域での自由は……連合した生産者が自分と自然との物質代謝を合理的に規制することにある。……しかし、これはまだ必然の国（領域）であるにとどまる」「この必然の国の彼方に人間の力の発展（自己目的として行われる）真の自由の国（領域）がはじまる」（『資本論』第３部、25ｂ〜１０５１）

４　エンゲルスの自由についての考え

旧ソ連邦・東欧の社会主義圏の崩壊前のいわゆる「マルクス・レーニン主義」では、自由の定義として、エンゲルスが『反デューリング論』（１８７６〜１８７８）で述べている「自由とは、自然必然性の認識にもとづいて自然を支配することである」（『マルクス・エンゲルス全集』20〜１１８）という見解が代表的なものでした。

エンゲルスによれば、「人間の意志の自由は、自然法則を特定の目的のために計画的に作用させる中にあり、事柄の知識にもとづいて決定できる能力」を意味します。ここで用いられている「自然法則」は狭義の自然の法則のみでなく、「人間の肉体的および精神的存在を規定する諸法則」を含んでいます。従って、それは歴史や社会における社会科学的諸法則をも含むとすることもできるでしょう。

エンゲルスは、人間が社会の法則を認識し、社会を合理的に制御することによって「自由の王国」を実現することが可能となると考えました。

「自由は自然および社会の諸法則の認識に基づいて、これらを支配することにある」というエンゲルスの考えは、幾つかの点で誤りがあります。

第1の点は、いかに科学が発達し自然および社会の法則が解明されようとも、自然と社会は解明し尽くされることはなく、人間が自然と社会を完全に支配できるようになることはありません。

近代西欧思想の中の、人間が自然を支配する、或いは人間が自然を支配できるという考えが、今日の地球環境問題を惹き起こしている大きな要因になっていることは、多くの人々から指摘されているところです。

第2の点。人間が自然のみでなく社会を支配するという考えは、社会の上に社会をコントロールする支配者を置くという考えで、人間が人間を支配してきた階級社会を廃絶しようとする共産主義思想と対立する考えです。

第3の点。自然や社会の諸法則の解明の発達は人間の自由の実現の条件を整えるものであって、人間の自由の実現は、生きる主体としての個人個人の多様な生命力の発現であり、精神の内面をも含む活動です。

5　「自由主義」の唱える自由とは

「自由主義」は近代資本主義の興隆とともに出現し展開してきた産業資本家の最も基本的な理念と言えます。その最も主要な考えは、人間を無制限の欲望をもつ者と見ることです。この欲望を無制限に追求することを肯定する人間観および倫理観です。このような観点から、私有財産制と利潤を追求する経済的自由（功利主義）を擁護し、資本主義的な市場経済に対する国家や社会による一切の制限や干渉を拒否するという経済的自由放任主義です。

「自由主義」という用語は19世紀に生み出されましたが、その思想的源流は17世紀半ばの英国における清教徒革命（１６４０～１６６０年に英国に起こった市民革命）に求められます。18世紀後半の英国のアダム・スミス（１７２３～１７９０）らの自由放任思想やフランスの百科全書派の啓蒙思想をへて、１７８９年のフランス革命における「人権宣言」にいたる過程で形成されました。

マルクスはジョン・ロック（１６３２～１７０４）を「自由主義思想の父」と呼び、「あらゆる形態の新しいブルジョアジーを代表したジョン・ロック、労働者階級と貧民に対しては工業家を、旧式の高利貸しに対しては商業家を、債務者たる国家に対しては金融貴族を代表し、また……ブルジョア的悟性を人間の正常な悟性として証明しさえした」（『経済学批判』13―60）と述べ皮肉っています。

自由主義の思想的目標は、信教・言論・出版・契約の自由、私的所有など市民的な自由を権利として達成することにありました。しかし、この場合市民という概念はあくまでも初期資本家から産業資本家に成長したブルジョアという範囲にとどまっていました。前記の権利を獲得するために、旧体制との間で激しい闘いがくり広げられていきましたが、その過程で自由主義思想がはたしたことは旧体制と対立する産業資本家としてのブルジョア階級を権力の座に押し上げていくことでした。

ジェレミー・ベンサム（１７４８〜１８３２）に代表される「功利主義」は、「最大多数の最大幸福」のスローガンを掲げました。

人間の本性は快楽の追求にあり、個人の幸福を促進することこそ功利性の原理に他ならず、社会の幸福は個人の幸福の総和であるとして、「個人主義」をとなえました。このような考えは、フランスの思想家ルソー（１７１２〜１７７８）とは逆に特殊意志・個別意志の総和の方を重視する立場です。

ルソーはフランス革命に大きな影響をあたえましたが、彼は『人間不平等起源論』で、政治的・経済的不平等と悪の根源を私的所有（私有財産制）に求め、『社会契約論』で、人間の真の自由と平等の確立を一般意思つまり主権者である人民全員の意思に基づく社会の形成にもとめました。

マルクスは『共産主義者宣言』（通常『共産党宣言』）の中で次のように述べています。

「ブルジョア社会にあっては、資本が自主性を持ち人格を持ち、逆に、生きた個人は自主性も人格ももたない。しかるに、こうした関係の廃止を、ブルジョア階級は人格と自由の廃止と呼ぶ。然りである。いかにも、それはブルジョア的自主性、ブルジョア的自由の廃止なのだから。自由とは、ブルジョア的生産関係の内部では自由な商業、自由な売買を意味する」。（金塚貞文訳　太田出版）

（1）「自由主義」の矛盾と「自由民主主義」への転換

自由主義は、個人の自由に国家や政府が干渉したり、自由を侵害したりしないという意味で、スミス流の自由放任主義的な「安価な政府」を唱えてきました。にもかかわらず、逆に自らの主張を実現するためには議会の立法にたよらざるをえなくなり、国家の介入を容認せざるをえないという矛盾に陥ることになりました。こうして、自由主義は転換を迫られ、労働者階級の貧困に対する救済措置や、女性や児童の雇用制限、労働時間の短縮など、工場法をはじめとする社会政策的な立法を行わざるをえなくなりました。また、労働者の政治参加、すなわち選挙権の拡大の要求についても支援せざるをえなくなりました。

英国では、１８６７年の選挙法改革によって、労働者の参政権が実現しましたが、このとき結成された自由党は、自由主義に加えて民主主義的要素をとりいれていきました。自由主義思想は新しい自由主義すなわち「自由民主主義」へと転換したのです。

こうした自由主義の矛盾を最も反映していたのはジョン・ステュアート・ミル（１８０６〜１８７３）でした。彼はそれまでの「功利主義」に大きな修正を加えていきました。ベンサムや父ジェームス・ミルが唱えた功利主義の快楽原則は、快楽の量ではなく質として追求されるべきであると修正をはかりました。更に、人間精神の内奥をも問題にし、個性の発揮を重視すべきことを強調しました。

それまでの自由主義と同様に、私有財産制と経済的自由を擁護しながらも、その一方で労働者階級に対して同情を示し、ブルジョア階級の利潤追求と労働者階級の生活の権利との調和を説いて、分配関係の改善によって階級的矛盾を克服しようと試みました。
（２）自由主義（国家）と自由民主主義（国家）の相違について
大藪龍介氏は、従来我が国では、これらの用語は、両者の政治学的概念の相違が明確に区別されることなく使用されてきたことの誤りを指摘し次のように述べています。
「最も基本的な骨格を対比すると、前者（自由主義）は国民主権――立憲君主制――財産による制限選挙、後者（自由民主主義）は人民主権――共和制――（青年男子）普通選挙制である」。（『明治国家論』）
１７８９年からのフランス大革命および１８４８年のドイツ革命はいずれも自由主義革命でした。革命に労働者階級も参加しましたが、革命後労働者階級や一般民衆は政治から排除され、民主主義はブルジョア階級内の民主主義であり、ブルジョアジーは労働者や一般民衆に対して独裁的でした。従って、自由民主主義の成立によって一般民衆にも参政権が与えられる以前のブルジョア民主主義はブルジョア独裁であったということができます。

レーニンは、西欧で自由民主主義が普及しつつあった時代にも、自由主義との相違を区別せず、すべてのブルジョア民主主義はブルジョア独裁であると断定しました。

6　新自由主義＝現代の自由主義

「新自由主義」はシカゴ学派の経済学者ミルトン・フリードマン（１９１２～２００６）を始祖とする経済思想で、新古典派経済学とか新保守主義（略してネオコン）などとも呼ばれています。１９７０年代頃から米国を中心に、この考えを支持する経済学者がふえ、１９７９～１９９０年の英国のサッチャー政権ならびに１９８０年代の米国レーガン政権の政策に大きな影響をおよぼしました。

第２次世界大戦後から１９６０年代までは、米国・英国をはじめとする世界の主要な資本主義国では英国の経済学者ケインズ（１８８３～１９４６）の唱えた経済政策が主流をなしました。それは、市場経済を基本としつつも市場の安定化のために、政府が積極的に市場に介入し、大資本家や大企業の経済活動に規制を設けたり、不況に際しては政府が財政投資と公共投資によって雇用を確保し（有効需要）、累進課税を強化して社会福祉を充実することにより高所得者から低所得者への富の再配分を行うという政策でした。

では、なぜケインズ政策は新自由主義によってとって代わられたのでしょうか。主な理由はケインズ政策が莫大な財政赤字とインフレーションを解決できなかったことにあるとされています。

新自由主義は、経済は市場に委ねるのが最も良く、国家や政府による市場に対する一切の規制や介入を排除するという立場です。

自由な市場こそが最も公平であり、その上に人間の自由が実現できるという市場原理主義に立ち、初期自由主義の自由放任主義への復帰ともいえます。そのような立場から、所得の再分配のための累進課税・公共政策・福祉政策に反対する政策を主張し、その政策はレーガン政権以降の歴代の米政権によっても採用されるとともに、グローバリズムの潮流にのって広く世界を席巻しました。

その結果はどうだったでしょうか。バブル景気の幾度かの破綻の後、金融危機を招き、社会的格差の拡大と貧困を生みだし、膨大な財政赤字、失業の増大と雇用不安定化、産業基盤の脆弱化などが生みだされました。

新自由主義は市場原理主義と自己責任を声を大にして叫んでいたにもかかわらず、いざリーマンブラザーズに端を発する金融危機が発生すると、政府に対して莫大な財政支援による救済を求めるという矛盾を露呈しました。

7　マルクスの目指す自由を実現する条件

マルクスは自分が目指す自由を、自分が生きている資本主義社会やその改良による社会では実現できないと考えました。自由を実現するためには、この社会を根底から変革する必要があると認識しました。しかし同時に、彼は資本主義社会そのものの中に資本主義社会を解体させる契機とともに自由を実現すべき未来社会を生み出す力があることを見出しました。

「現実的解放は現実的世界のなかで現実的手段をもってする以外には成就することは不可能であり、……」。（『ドイツ・イデオロギー』国民文庫15）

彼は、まず第一に、人間が生きていくための根本条件は何なのかということの確認から出発します。その上で更に、人間と自然の関係、人間と人間の相互関係へと思索を進めてゆきます。

人間は自然の一部であり、自然を離れて生きることはできません。同様に、人間は社会的存在であり、社会から離脱して生きることもできません。つまり人間は自然的・社会的存在であるということです。

自由の実現は、自然と人間との関係とともに人間相互の社会的関係を変革しなければならないということになります。

人間の自由を実現する未来社会を生み出す最大の原動力となるものは、一つは資本主義社会の中で高度の発達をとげた生産力です。もう一つは、この社会で圧倒的多数を占めるようになった労働者階級が資本主義社会を倒し、新たな社会を創る主体になりうるということです。

（1）自由を実現するためには二大条件が不可欠

①生産力の高度の発達

「生産力の発達なしには、欠乏が普遍化されるにすぎず、従って、窮迫にともなってまたもや必要物をめぐる抗争も再開され、旧弊がことごとく再生されざるを得ない」。（広松渉訳『ドイツ・イデオロギー』37）

「人間は衣食住を質量ともに十分に調達しえないでいるあいだは解放されないでいるということ……」。（同）

豊富な物資の供給が維持されることにより、物質的窮乏による人々の間の争いをなくすことができるということです。

②必要労働あるいは必要労働時間の大幅な短縮と自由時間の拡大

人々が日々行う労働のうち、人々の日々の生活手段を生産するのに必要な労働を「必要労働」といい、そのための労働時間を「必要労働時間」といいます。生産力の発達は必要労働を大幅に短縮することを可能にし、これに伴って自発的活動に用いることのできる「自由時間」を大幅に延長することができるようになります。

③労働の解放

労働者階級の労働を、資本に隷属した利潤追求のための商品生産の労働から解放し、自由で対等な関係の生産者たちが共有する生産手段を基礎として協同的生産活動に転化することによって、労働の解放が実現されるとしています。

生産力の発達と労働の解放によって、労働を生活を維持するための労苦から解放し、自発的・主体的活動の部分を拡張することができる。精神労働と肉体労働の分裂をなくすことができる。本人の意志に反して長期にわたって特定の分業に従事することを強いられることから解放され、疎外された労働からの解放をかち取ることができるであろう。このようにして労働を人間の生命力の発現とすることができるとマルクスは確信していました。

資料3

（1）人間存在の第一の前提

「われわれはあらゆる人間存在の、したがってまたあらゆる歴史の第一の前提を確認することからはじめなければならない。すなわち人間は、『歴史を作り』うるためには、生きてゆくことができなければぬという前提である。ところで生きるのに必要なのはなによりもまず食うことと飲むこと、住むこと、着ること、そのほかなおいくつかのことである。したがって第一の歴史的行為はこれらの欲望をみたすための手段の産出である。……しかもこれは……あらゆる歴史の根本条件なのである」。（『ドイツ・イデオロギー』古在由重訳　岩波文庫）

（2）人間と自然と社会の関係

①　「生産において人間は、自然に働きかけるばかりでなく相互に働きかける。彼等はただ一定の仕方で協働し、また彼等の活動を相互に交換しあうことによってのみ、生産する。生産するためには、彼等は相互に一定の諸関係を結ぶのであって、社会的諸関連および諸関係の内部でのみ、自然に対する彼等の働きかけが行われ、生産が行われるのである」（『賃労働と資本』P46　長谷部文雄訳　岩

波書店）

②　「……自然へのこの一定の関係は社会形態によって制約されており、またその逆でもあるのだ。どこでもそうであるように、ここでもまた自然と人間の同一性がはっきりあらわれて、自然にたいする人間のかぎられた関係が、かれら相互のかぎられた関係を制約し、そしてかれら相互のかぎられた関係が自然にたいするかれらのかぎられた関係を制約している」（『ドイツ・イデオロギー』P38　古在由重訳　岩波文庫）

③　「一定の生産様式あるいは産業段階はいつも一定の協働様式あるいは社会的段階とむすびついており、この協働様式がそれ自身一つの『生産力』であるということ、そして人間の達しうる生産諸力の量は社会的状態を制約し、したがって『人類の歴史』はいつも産業および交換の歴史とのつながりにおいて研究され論究されねばならないということである」（同前『ドイツ・イデオロギー』P37）

（3）人類史の発展段階　自由な個性にいたる道

①　政治的・経済的社会形態による区分

マルクスは人類史を「大づかみにいって、アジア的、古典古代的、封建的、および近代ブルジョア的生産様式が、経済的社会構成の相次ぐ諸時期として表示されうる。ブルジョア的生産関係は、社会的生産過程の最後の敵対的形態である。……しかし、ブルジョア社会の胎内で発展しつつある生産諸力は、同時にこの敵対の解決のための物質的諸条件をもつくりだす。したがってこの社会構成でもって人間社会の前史は終わる」（『経済学批判』序言、13—7）

② 人間相互の社会的関係からみた区分

「人格的依存関係（最初は全く自然発生的）は最初の社会形態であり、そこでは人間の生産性はごく小範囲でまた孤立した地点でだけ発展する。物的依存関係の上に築かれた人格的独立性は、第二の大きな形態であり、そこで一般的な物質代謝、普遍的な対外諸関係、全面的な欲望、そして普遍的な力能といった体制がはじめて形成される。諸個人の普遍的発展のうえに、また諸個人の社会的力能としての彼らの共同体的・社会的な生産性を従属させることのうえに築かれた自由な個性は、第三段階である」。（『経済学批判要綱』P79　高木幸次郎訳）

②について、「最初の社会形態」とは、古代社会から封建社会にあたる前近代社会を意味し、第二の社会形態は近代社会つまり資本主義社会を意味します。そして第三の段階は未来社会すなわち共産主義社会を意味しています。マルクスは共産主義社会を迎えることによって「真の自由の領域」である「人類本史」がはじまるという展望から、第一および第二の社会形態を合せて「人類前史」と呼びました。「人格的依存関係」とは、例えば、中世ヨーロッパの封建社会における領主とそれに

従属する家臣団および最下層の農奴との間の主従関係に基づく身分的階層秩序による支配体制が挙げられます。封建社会では、直接生産に従事する農奴は奴隷ではありませんが、土地に縛られて移住の自由がなく、地代として強制的に賦役や収穫の一定量を生産物や貨幣で納めねばなりませんでした。このような制度は経済外的強制と呼ばれ、封建社会が政治的性格持っていたことを物語っています。近代社会＝資本主義社会になってからは、人々は前記のような身分的な主従関係や地域的な血縁関係などによる束縛から解放され、移動の自由や職業選択の自由などの権利が与えられ、法の前では平等の身分となり、人格的独立性が認められるようになりました。このような前近代的束縛つまり経済外的強制からの解放は政治的解放とも呼ばれています。資本主義社会では経済外的強制から解放されましたが、人々は物質的（経済的）依存関係に基づいた関係にあり、労働者と資本家の依存関係のなかで労働者は資本家の支配下に置かれています。労働者階級は政治的には解放されましたが経済的には解放されておらず、真の自由の獲得のためには経済的解放が必要です。

第五章　マルクスと個人

マルクスにとって「個人」とはどのような存在であったでしょうか。

彼の文献では、「個人」として表現されている場合もありますが、「諸個人」と表現されていることの方が多いようです。また「各人」という用語も個人とほぼ同じ意味で用いられています。個人と関係の深い「個人性」（＝個性）も個人とともに重要な概念です。

1　マルクスの文献に見られる「個人」

まずマルクスの文献の中で「個人」、「諸個人」、「個性」などが表されている文章の例を幾つか引用してみます。第十二章『『アソシエーション』というマルクスの概念」でも引用している文章と重複している部分がありますがご了承ください。

（1）「現実の個別的人間が……個別的人間のままでありながら……類的存在になったとき、つまり人間が自分の『固有の力』を社会的な力として認識し組織した……ときにはじめて、人間的解放は完成されたことになるのである」（１８４３～１８４４年）『ユダヤ人問題によせて』１～４０７）

（２）「彼らおよびあらゆる社会構成員の生存諸条件を自らのコントロールに服させる革命的プロレタリアたちの共同社会の場合は、……諸個人は、その共同社会に諸個人として参加する。これこそ、まさに、諸個人の自由な発展と運動の諸条件を、自分たちのコントロールのもとにおく諸個人の結合（Vereiniguпg）に他ならない」（１８４５～１８４６年、『ドイツ・イデオロギー』Ｐ１３２　広松渉訳）

（３）「現実の共同社会にあっては、諸個人は、彼等のアソシエーションのなかで、また彼等のアソシエーションをとおして、同時にかれらの自由を獲得する」（同前書、マルクスの筆跡の頁）

（４）「発展するにつれ、階級の差異が消滅して、すべての生産が結合された個人の手に集中してゆけば、公的権力は政治的性格を失う。本来の意味での政治的権力とは、他の階級を抑圧するために一階級によって組織された暴力である」「階級や階級対立をともなう古い市民社会にかわって、各人の自由な発展が万人の自由な発展の条件であるような、連合体が出現する」（１８４８年、『共産党宣言』４―４９６）

（５）「諸個人の普遍的発展のうえに、また諸個人の社会的力能としての彼らの共同体的・社会的な生産性を従属させることのうえにきづかれた自由な個性は、第3段階である」（1857〜1858年『経済学批判要綱』1857〜1858年）高木幸二郎監訳、大月書店9）

（6）「資本主義的生産様式からうまれる資本主義的取得様式は、したがってまた資本主義的私有も、自分の労働にもとづく個人的な私有の第一の否定である。しかし、資本主義的生産は、一つの自然過程の必然性をもって、それ自身の否定を生みだす。それは否定の否定である。この否定は、私有を再建しはしないが、しかも、資本主義時代に達成されたもの、即ち協業と土地の共有と労働そのものによって生産される生産手段の共有とを基礎とする個人的所有をつくりだすのである」（『資本論』、第一部、23b—994）

生産手段の共有を基礎とした個人的所有の再建とは

ここで述べている「個人的所有」とは、個人の私生活に伴う生活物資を意味せず、土地や工場や原料などの生産に必要な生産手段を意味しています。

生産手段の私的所有が廃止され、社会的所有に変革された場合には、単に所有に関する関係がかわるだけでなく、生産の現場において働く人々の労働の主体性と創意が高まります。

生産手段の共有は生處手段が皆のものであるだけでなく、生産に参加する人々、一人一人のものという意識と実感が生まれることでしょう。マルクスはこのことを「個人的所有」（個体的所有とも言われる）の再進ととらえているものと言えます。

「農民革命とエスエル党の『土地社会化』」（後掲　第七章参照）で述べる、ロシアのエスエル党の土地政策は、農地の私的所有が廃止された場合の土地と農民の関係を示唆していると思われます。

（7）「いかにも諸君！　コミューンは多数の人間の労働を少数の人間の富と化する、あの階級的所有を廃止しようとした。それは現在おもに労働を奴隷化する手段になっている生産手段すなわち土地と資本を、自由な共同労働の純然たる道具に変えることによって、個人的所有を現実化しようと望んだ。……」（1871年『フランスの内乱』村田陽一郎訳　国民文庫）

2　マルクスにとって「個人」とは

以上のマルクスの個人に関連する引用文を読んでいただくと、マルクスが希求したものは「自由な個性」、「個人の自由」、「個人の発展」の実現であったことがよく分かると思います。

諸個人の自由は社会的共同なしにはえられないこと、諸個人の自由は社会的共同性を基礎とした自由の空間において実現されることを述べているといえます。同時に、マルクスは共同性を重要視しましたが、社会を構成する根底的単位はあくまで主体としての「個人」であり、社会は諸個人の結合によってつくられるという考えです。個人を全体の中に埋没させるような考えとは全く無縁です。ソ連型社会主義は全体主義以上に全体主義的でしたが、マルクスの志向したものは全体主義ではなかったとともに、個人主義でもありませんでした。

前記の文の中に「生産手段の共有と共同労働を基礎とした個人的所有の実現」と述べられていますが、その解釈については諸論があり、省略します。

3　プルードンとマルクス

アナーキスト（無政府主義者）を自称したプルードンは、著書『所有とは何か』（１８４０年）の中で次のように述べています。「自由な共同社会（アソシアシオン）……これのみが唯一可能な社会形態であり、唯一正しく、唯一真なるものである。……人間による人間の統治は、いかなる名称を装うとも、抑圧である。社会の最も高度な完成は、秩序とアナーキーとの結合のなかにある」。

若きマルクスはプルードンのこの考えを非常に高く評価し、所有に関して「最初の決定的な、遠慮のない、それと同時に科学的な検討をくわえる……真の経済学をはじめて可能にした進歩である」。「彼の著作はフランス・プロレタリアートの科学的宣言」であると述べています。（１８４４年『聖家族』）

第六章　平等と多様性

「平等」について検討する場合には、「人間は多様な存在である」ということと、「何についての平等か」ということを必ず考慮しなければなりません。

1　平等についての定義とその評価方法

平等に関する定義は様々であり、その評価方法もまた様々です。

『岩波　哲学思想辞典』（広松渉ら編集　岩波書店刊）によると、平等とは、「狭義では、人種・性・階級・民族などの差異を超越した人格的存在としての人間の本質的対等性を意味する」とあり、「広義では、社会的資源や負担の分配、また褒賞・制裁・賠償の決定において、無関係な事情の考慮による差別を排除すること。例えば、病状がより重い患者により多くの医療資源を分配することは平等に反しないが、より美しい患者をより手厚く看護するのは平等に反する。従って、平等は人々の間の一切の差異の無視ではなく、『無関係』（Irrelevannt）な差異による差別の排除を要請する」とあります。

アマルティア・セン（インド出身の経済学者、１９３３年生まれ）は著書『不平等の再検討――潜在能力と自由』（池本幸生ら訳　岩波書店）の中で次のように述べています。

①「人間は多様な存在である」
②「平等についての分析や評価の中心にある問題は『何の平等か』である」
③『何の平等か』という問いの本質的重要性は、人間の多様性という現実に関わっている」

2　人格的平等性と権利としての平等性

前記『岩波　哲学思想辞典』で述べられている「人格的存在としての人間の本質的対等性」を意味する「狭義の平等」の概念は、全人格的な対等性としての平等性を意味すると考えられます。

これに対して、「広義の平等」は「平等の権利」と言い換えることができると思われます。社会の個々の構成員の社会に対する貢献度とその見返りとしての報酬などの評価は、「狭義の平等」とは異なって全人格的な平等性という概念があてはまらなくなります。アマルティア・センもいうように、「人間は非常に多様な存在」です。多様な存在であるということは、一人一人の人間を構成している内的（精神的・

肉体的）および外的（政治経済的・文化的・生態環境的等）因子或いは要因・契機が無数にあり、それらの因子・要因が相互に複雑に絡み合っています。更に、それぞれの因子も相互の関連にも個人差があるということです。

このように、無数ともいえる因子から成り立っている個人個人の間に平等を求め、平等を実現しようとする場合には、個々人を形成する無数の因子を全て検討し、評価するなどということは不可能です。平等の分析や評価を行う場合には、一定の因子・要素或いは一定の側面に限定して分析・評価せざるをえません。従って、平等を問題にする場合には、必ず「何についての平等か」、「何に関する平等か」という限定が必要になります。

3　マルクスの平等と多様性についての考え

マルクスの共産主義社会実現の究極的な目的は「人間の自由」の実現にあり、平等よりも自由を優位に位置づけたことは、第四章「マルクスと自由」で述べました。マルクスは平等よりも自由を優位に置いたといっても、平等・不平等について無関心であったわけではありません。また、マルクスの残した論文の中に「多様性」という用語を見出すことはできません。しかし、彼は「多様性」という用語こそ用いてはいませんが、「人間の多様性」に相当する概念を有し、このことを軽視したり、無視していたとはいえません。

個々人の労働に対する平等な評価方法とは「自由と平等」の項でもとりあげましたが、彼の著書『ゴータ綱領批判』の第1章3では、共産主義社会の第1段階（低次の段階）では、個々の社会の構成員（労働に従事する生産者）が個人的消費資料（日常生活物資）を得る権利はどのような基準によって評価されるべきか、ということが述べられています。

「生産者の権利は、彼の労働給付（社会に与えた労働――著者註）に比例する」と。

では労働給付はどのように評価されるのかといいますと、「労働の長さか強度」を平等な基準にするべきだと述べています。ここで、「長さか強度」と述べられている点を、私は「強度を考慮した労働時間の長さ」と解しました。

しかし「この平等な権利は、不平等（同一でない、異なったという意味――著者註）な労働にとっては、不平等な権利である。……この権利はなんの階級差別をも認めない。しかしそれは、不平等な個人の天分と、したがってまた不平等な給付能力を、生まれながらの特権として暗黙のうちに承認している。だからそれは、内容からいえば、すべての権利と同じように、不平等の権利である。権利は、その性質上、ひとしい尺度をつかうばあいにだけなりたちうる。しかるに、不平等な諸個人（そしてもし不平等でなかったら別々の個人ではなかったろう）をひとしい尺度で測ることのできるのは、ただ彼等をひとしい視点のもとにおき、ある一つの特定の面だけからこれをみるかぎりである。たとえばこのばあいには、人々はただ労働者としてだけ観察され、彼等のそれ以外の点はみとめられず、ほかのことはいっさい無視される。さらに、ある労働者は結婚しており、他の労働者は結婚していないとか、ある労働者は他のものより子供が多い、等々。だから、労働の出来高は平等であり、したがって社会的消費原本（フォンド）にたいする持分は平等であっても、ある者は他の者より事実上多くうけとり、ある者は他の者より富んでいる、等々。すべてこういう欠陥をさけるためには、権利は平等ではなく、不平等でなければならないだろう」と述べています。

一人一人の個人は生まれながらの才能や能力が異なり、また異なった様々な条件の中で生活をしていること、従って人間は千差万別であることを指摘しています。このことは、「多様性」という用語は使っていませんが、「人間の存在の多様性」に注目することの大切さを指摘していることに他なりません。

共産主義社会の第1段階における、労働と個人的生活資料の取得の権利に関する平等の権利は、内実としては不平等（不公平と言った方が良いように思います――著者註）を招くことを指摘し、「権利は平等ではなく、不平等でなければならないだろう」という逆説的関係を、マルクスは述べています。

「しかし、こうした欠陥は、長い生みの苦しみののち資本主義社会からうまれたばかりの共産主義社会の第一段階では、避けることはできない。権利は社会の経済的構成およびそれによって制約される文化の発展よりも高度であることはできない」と彼は述べています。

第七章　『資本論』と弁証法

1　『資本論』とは

マルクスの主著『資本論』はマルクスの労作の集大成とも言われていますが、第一部「資本の生産過程」のみがマルクスの生存中の１８６７年に出版されました。第二部「資本流通過程」と第三部「資本主義的生産の総過程」は、マルクスの死後、マルクスの草稿をエンゲルスが編集して、それぞれ１８８５年と１８９４年に出版されました。第四部として予定されていた「剰余価値学説史」は、ドイツ社会民主党の理論家カール・カウツキー（１８５４~１９３８）の編纂により、１９０４年から１９１０年にかけて、独立の著書として出版されました。

一般に『資本論』と呼ばれている原著のタイトルはドイツ語で「資本」を意味する「Das Kapital」です。副題として「経済学批判」が添えられています。ここで批判の対象としている経済学とは、資本主義を肯定し擁護する立場にあるアダム・スミスやデイヴィッド・リカードによって代表される、いわゆる古典派経済学をさしています。

『資本論』は、資本主義経済の仕組みと運動法則を体系的に解明した経済学の労作ですが、それは同時に資本主義社会に対する根底的な批判の書でもあります。

『資本論』第1版の序言では、「私がこの著作で研究せねばならぬものは資本主義的生産様式、および、これに照応する生産ならびに交易関係である。近代社会の経済的運動の法則を暴露することは本著の最後の研究目的であるが、――その社会は自然的な発展諸段階を飛び越すことも、それを立法的に排除することも、出来ない。だがその社会は、生みの苦しみを短くし、和らげることはできる」（『資本論』第1部上　長谷部文雄訳　青木書店）と述べられています。

古典派経済学が資本主義社会を「自然的自由の秩序」として、この社会体制を永久的なものとしてとらえているのに対して、マルクスは、資本主義社会は人類の一定の歴史的発展段階に限定して成立した社会的体制であり、崩壊の必然性を抱えているという観点に立っていました。

『資本論』第3部（25ｂ～１１２２）では、ちょっと難しい表現ですが、次のように述べられています。「資本主義的生産様式は、……社会的生産諸力とその発展諸形態とのあたえられた一段階を自己の歴史的条件として前提している。……この独自な歴史的に規定された生産様式に対応する生産関係――人間がその社会的生活過程において、その社会的な生活の生産においてとり結ぶ関係――は、独自に歴史的な、一般的な性格をもつ」。

2 『資本論』全体を貫く「弁証法的思考方法」

「弁証法的思考方法」について、ちょっと難解な文章ですが読んでみましょう。

「その合理的姿態では、弁証法は、ブルジョア階級及びその理論的代弁者にとり、一の痛憤事であり、一の恐怖物である。というわけは、かかる弁証法は、現存するものの肯定的理解のうちに、同時にまた、その否定の・それの必然的な崩壊の・理解を含み、どの生成せる形態をも運動の流れにおいて・したがってまたそれの無常的な側面から・理解し、何ものによっても畏怖せしめられず、その本質上、批判的かつ革命的であるからである」。(『資本論』第1部、第2版への後書き　長谷部文雄訳　青木書店)

この文章で述べられている「かかる弁証法は、現存するものの肯定的理解のうちに、同時にまた、それの否定の、それの必然的な崩壊の・理解を含み……その本質上、批判的かつ革命的である……」とはどのような意味なのか考えてみましょう。

「かかる弁証法」とは、主体としての人間が対象を認識するための正しい思考方法（考え方）としての弁証法的思考方法のことです。次に「現存するもの」とは、現実に存在するもの、ここでは、現実に存在する資本主義社会を指しています。では「肯定的理解」とはどういう意味かと言いますと、存在するものには必ず存在の根拠（存在理由）があるはずですから、その根拠を明らかにして、理解することです。従って、「現存するものの肯定的理解」とは、資本主義社会が何故存在するのか、どのような仕組みで成り立っているのかという社会の成り立ちの根本をあるがままに理解するということになります。

ところで、存在するものの根拠を根底から把握しようとする意欲や努力は、存在するものに対して強い疑問や批判を持つことなしには生まれません。資本主義社会の存在を当然のこととして受け入れ、それに対して疑問を持たない人にとっては、その存在理由の解明の必要性を感じないでしょう。従って、肯定的理解は資本主義社会に対して批判的に向き合うことによって初めて成り立ちます。肯定的理解によって資本主義社会の根拠をとらえることができれば、その根拠を打破することによって、それを崩壊に導く可能性が見えてきます。

このように、否定的＝批判的立場に立つことによって、初めて資本主義社会の肯定的理解が可能となり、肯定的理解を達成することにより、同時に資本主義を否定する論理を把握することが可能となります。資本主義社会に対する否定的立場がそれの肯定的理解を生み、資本主義社会の肯定的理解がそれの崩壊の必然性という否定的理解を与えるという関係が成り立ちます。つまり、否定＝肯定、肯定＝否定という「主体と客体との相互否定」という関係です。これこそまさに「弁証法的思考」に他なりません。

『資本論』はまさに資本主義社会の肯定的理解であるとともに否定的理解を著した書です。

資本主義社会の存在の根幹は、支配階級である資本家階級と被支配階級である労働者階級が相互依存関係を保ちながら、この社会の担い手になっていることです。生産手段を所有していない労働者階級は、肯定的存在である資本家階級によって支配され、抑圧された否定的存在ですが、労働者階級の存在なしには資本も資本家階級の存在もありえず、資本主義社会そのものが成り立ちえません。

つまり、資本主義社会は否定的要因である労働者階級を社会の存立の不可欠の要因としており、このことがこの社会がかかえている根本的矛盾であるといえます。

そして、社会の成員が資本家階級と労働者階級に分裂した状態の根底には「生産手段の所有と労働の分離」が存在しています。

第八章　資本主義社会とはどのような社会か

資本主義（社会）を成り立たせている要因

①商品経済の普遍化
②生産手段の私有制と労働力の商品化（所有と労働の分離）
③労働過程（直接的生産過程＝労働の現場）における資本の支配
④経済を推進する主要な動機は利潤追求
⑤生産力と生産関係の間の矛盾
⑥資本主義社会は負の要因つまり労働者階級の抑圧の上に成り立っている

1　商品経済が普遍的となった社会

商品の生産と流通が経済の中枢をとらえ、社会の末端まで普及している社会ということができます。

古代や中世などの前近代社会でも、貴金属や宝石などの希少品や地方的特産物が商品として交易が行われていました。しかし、それらの商品の買売は経済全体の中で占める比率は小さく、経済の中枢をなす生産は身分的支配関係のもとに置かれた農業を中心とした共同体的、非市場的な経済生活を営んでいました。

2　生産手段の私有制と労働力の商品化（所有と労働の分離）

生産に必要な土地、工場、機械等の設備などを労働手段、労働の対象になる原料などの資材を労働対象と言い、両者を合わせて生産手段と呼んでいます。

この生産手段を社会の一部の人々のみが所有し、それらの人々は資本家階級と呼ばれています。一方、その他の圧倒的多数の人々は生産手段の所有から排除されており、これらの人々は労働者階級と呼ばれています。労働者階級に属する人々は自己の労働力を資本家に売り、その対価として賃金を得て生活をせざるをえません。財・サービスのみでなく労働力までもが商品化され、自分の労働力を自由に売ることができる労働市場の形成が、資本主義体制成立の基盤になっています。

3　労働過程における資本の支配

資本家と労働者の間の労働力の売買は形式的（法的）には対等な契約関係によって行われていますが、直接的生産過程（労働の現場）では、組織的な指揮・監督の体制のもとに、資本の階級的支配が貫かれています。

資本家と労働者が対等な関係にあるのは、労働力の売買契約までで、そのあとは労働力は資本家のものとなり、労働過程における労働者の労働は資本家による労働力の消費過程となるからです。

4　経済を推進する最も主要な動機は利益（利潤）の追求

資本主義経済が絶え間なく膨張を続けようとする要因は利潤を追求するためです。経済の基盤となっている資本の運動としてみるならば、「資本の自己増殖運動」ということができます。

マルクスは『資本論』の中で「貨幣蓄蔵」について次のように述べています。

「貨幣蓄蔵の衝動はもともと限度なしである。貨幣はどの商品にでも直接的転換されうるものであるから、質的または形態的に無制限なものである。すなわち質量的富の一般的代表者である。だが同時に、現実の貨幣額はいずれも、量的に制限されており、したがって、効力を限定された購買手段たるにすぎない。貨幣の量的制限と質的無制限との間の矛盾は、貨幣蓄蔵者を、つねに、蓄積というシシュフォス的労働に追いかえす。彼は、新しい国をいくら征服してもまた新しい国境に出くわすにすぎない世界征服者と同じ運命なのである。」（『資本論』第1部、第1篇、第3章、第3節 a 貨幣蓄蔵 長谷部文雄訳 青木書店）〈著者註〉ここで「シシュフォス的労働」とは、ギリシャ神話の中での述べられている際限のない労役のことです。シシュフォスがゼウスに憎まれて地獄に落とされ、絶えず転がり落ちてくる大きな石を山頂に運び上げる労役を永遠に続けることを課せられたという話です。

5 資本主義社会の根本的矛盾

前記1から4の項目のなかで、資本主義社会の矛盾の根本的原因は、2「生産手段の所有と労働の分離」にあることをマルクスは指摘していました。

つまり、一方に生産手段を所有する資本家階級が存在し、他方に生産手段を所有しないために、自己の労働力を資本家に売って、賃金を得て生活する労働者階級が存在していることです。

生産手段を持たない労働者階級は資本家階級に労働力を売ることなしには生きていくことはできませ

ん。資本家階級も労働力を売って働いてくれる労働者がいなければ、生産活動が成り立ちません。両者は持ちつ持たれつの「相補関係」にあります。

しかし、生産手段を所有しておらず、抑圧された関係にある労働者階級は、自己を人間として肯定し得る存在にするためには、現にある自分の状態を否定することなしには、実現しません。

資本家階級は否定的要因（少なくとも潜在的には）である労働者階級を自己の存立基盤にしていることになります。

ここに、資本主義社会は労働者階級によって「覆される」要因を潜在させていることになります。

第九章　剰余価値はいかにして生み出されるか

――労働力・労働・剰余労働・搾取――

労働者が資本家との契約によって受け取る「賃金」は、労働者の「労働」に対する対価のように見えますが、実は「労働力」に対する対価なのです。

商品の価値はそれを生産するのに必要な労働の量によって決まります。「労働力」の価値も同様に労働力の生産＝再生産に必要な労働の量によって決まります。労働力の再生産に必要な労働の量の価値は、労働力を再生産するために必要な生活費の価値です。

労働者が生産過程で発揮する「労働」は、資本家が労働者から買い取った後の「労働力」の消費過程です。

労働によって生み出される商品の価値は、労働力を再生産するための生活費の価値よりも大きく、両者の差が剰余価値であり、資本家が得る利潤の源泉です。

1　労働力の商品化

資本主義社会では、生産手段が少数の資本家階級によって所有され、その他の大多数の人々は生産手段を持たない状態におかれています。生産手段を持たない人々、つまり労働者階級に属する人々は、生活の糧を得るために、いずれかの資本家のもとで労働し、その対価として賃金を得ざるをえません。資本家と労働者は法の前では対等な立場で、自由な人格として雇用契約を結び、労働者は資本家のもとで、一定の条件で働くことを認め、その対価として賃金を得ます。これが労働力の商品化と言われることです。労働と労働力の違いについては後で述べます。

資本主義生産体制は労働力の商品化の上に成り立っていますが、労働力の商品化は、第一に社会の多くの人々が生産手段を所有せず、自らの労働力を売らなければ生きていけないという状態に置かれていること、第二にそのような労働者が自らの労働力を自分の意志で自由に売る権利を持っているということが必要条件です。

古代の奴隷は生産手段を所有していないうえに、人間としての人格を認められておらず、自分の意志で自分の行為を決めることができませんでした。また、中世の農奴は自己の保有地、農具、家畜などを持ち、家族労働によって生活を維持していましたが、身分上は領主に隷属し（人身的拘束あるいは経済外的強制といわれる)、地代として剰余生産物を収奪され、その他に賦役義務があり、領主裁判権のもとで土地に縛られており、自由に土地を離れることは許されませんでした。従って、奴隷も農奴も自己の労働力を自己の意志で自由に売ることはできませんでした。

マルクスは前記の二つの条件をそなえた近代社会の労働者を「二重の意味で自由な労働者」と呼びました。このような労働者は、土地などの生産手段から分離され、更に前近代的な支配服従の関係(人格的依存関係・経済外的強制)から解放されることによって、近代社会になって初めて大量に生み出されるようになりました。

2　労働に対する賃金はどのようにしてきまるのか

「労働力」とは一般に、人間が何らかの生産活動を行う際に発揮することのできる肉体的および精神的な能力の総体をいいます。

マルクスは『賃労働と資本』で次のように述べています。「一商品の価格(価値の貨幣による表現)はその生産費によって決定されるのであって、……(労働力の価格も同様に)労働力という商品を生産するのに要する労働時間によって、決定されるであろう」。(　)内著者註

「労働力」という商品の価格は労働力を維持・再生産するのに必要な生活費つまり生活手段を購入する費用が基本となります。言いかえれば、労働者が生活するのに必要な生活手段を生産するのに必要とする様々な労働の総量あるいはその価値または価格といえます。

労働力の維持・再生産の生活費という場合、従来の一般的な考えによれば、資本家と直接契約する労働者本人の生活費のみでなく、労働者の妻や子供など家族の生活費や子供の教育費も含まれるべきものとされてきました。

それは長期的にみた労働者階級の労働力の維持・再生産が配慮されていたためでした。

しかし昨今の非正規労働者の賃金をみてみますと、労働者個人が生きていくにも困難な低賃金で、結婚することもできず、結婚しても子供を産むこともできない過酷な状態です。このような状態が続くならば労働者階級とともに資本家階級も共倒れにならざるを得ないでしょう。

マルクスは更に『賃労働と資本』の中で次のように述べています。

「労賃なるものは資本家が一定の労働時間または一定の労働給付にたいして支払う貨幣額だという点では、彼等（労働者たち）のすべてが一致するであろう。だから資本家は貨幣をもって彼等の労働を買うのであり、彼等は貨幣とひきかえに自分の労働を資本家に売るように見える。だが、これは外観にすぎない。彼等が現実に資本家にたいして貨幣とひきかえに売るものは、彼等の労働力である。この労働力を資本家は、１日ぎめ、１週間ぎめ、ひと月ぎめ、等々で買うのだ。そして彼等は、労働力を買ったのちは、労働者たちを約定の時間だけ労働させることによって、それを消費するのである。……貨幣で評価された一商品の交換価値は、その商品の価格と呼ばれる。だから労賃は、労働力の価格――これは通常、労働の価格と呼ばれる――（ひとつ）の、……独自な商品の価格の別名にほかならない。……だから労賃は、労働者によって生産された商品における労働者の分け前ではない。労賃は、資本家がもって一定量の生産的労働力を買い取るべき既存の商品の一部分である。……だが労働力の実証たる労働は、労働者自身の生命の活動であり、かれ自身の生命の発現である。そしてこの生命の活動を彼は、必要な生活手段を確保するために第三者に売るのである。……それは、かれが第三者にうりわたした一商品である。……労賃は、すでに見たように、労働力という一定の商品の価格である。だから労賃は、あらゆる他の商品の価値を決定するのと同じ法則によって決定される」。

3　必要労働・剰余労働と剰余価値（利潤）

労働者の労働力の再生産に必要な日々の生活手段の生産に必要な労働を「必要労働」、そのための労働時間を「必要労働時間」と呼んでいます。

労働者の日々の労働は、この必要労働時間を超えて行われており、それによって超過した労働部分を「剰余労働」、その時間を「剰余労働時間」と呼んでいます。このことは、労働契約できめられた労働時間を超えた超過勤務とは異なり、契約で決められた労働時間の中に必要労働時間とともに剰余労働時間も含まれています。この剰余労働によってうみだされた「剰余価値」が資本家の得る「利潤」となります。

4　資本家の利潤と搾取

マルクスは、剰余価値の源泉は生産過程に投下された労働力が必要労働を超えた剰余労働であるとみなしました。言い換えるなら、資本家は労働者に賃金という形で必要労働時間分の価値を与え、それを超えた剰余労働時間が生みだした価値を利潤として取得しているとしました。このように、生産手段の所有者と非所有者が存在する階級社会において、前者が後者の剰余労働の成果を取得することを「搾取」といいます。マルクスは、資本主義社会においては、資本家が取得する剰余価値は本来労働者が取得してよいものを資本家が奪い取ったものとはいえず、等価交換の規則に違反してだまし取ったものでもないとみなしました。それは、資本主義市場の商品価値の決定原理つまり「商品価値はそれの生産費用によって決まる」という原則に貫かれているという資本主義的搾取のメカニズムを解明しました。

マルクスは、資本主義社会における階級的搾取関係は近代社会の市民関係によって媒介され、奴隷制とも農奴制とも異なる賃金労働に基づいているが、資本家と労働者の法の前における対等な関係は単なる仮象にすぎず、剰余労働を提供する限りでのみ生産手段の所有者から労働することを許され、生存条件を与えられるということは賃金の高低にかかわらず一種の奴隷制＝賃金奴隷であるとみなしました。

資本家と労働者が労働契約を結ぶ時、労働者は資本家A・B・C……の中から自分の自由意志によって契約の相手を選ぶことができます。しかし、いずれかの資本家と契約を結んで雇われなければ、生きていけません。しかも、A・B・C……の資本家はそれぞれ独立していますが、全体として資本家階級を形成して労働者階級と相対しています。資本家と労働者は法的に対等であるとされていますが、両者の間には生産手段を持つ者と持たざる者、強者と弱者という厳然とした社会的不平等が存在しています。労働契約に際して、労働者は労働市場における条件に従った労働条件を受け入れざるをえません。

第十章　パリ・コミューン（1871年3月〜1871年5月）

――パリ・コミューンからマルクスは何を学びとったか――

パリ・コミューンの目指した闘いは、ナポレオン3世の第2帝政下で奪われていた「パリ市の自治権を奪回して自由都市パリになる」ことであり、「フランスが共和制をとりもどすこと」でした。パリ・コミューンは史上初の労働者と民衆による革命にはちがいありませんでしたが、社会主義革命でもなければ、プロレタリア独裁でもなかったのです。〔第Ⅰ編第十一章「プロレタリアート独裁とマルクス」〔後掲〕をご参照下さい。〕

その革命はわずか72日間で敗北しましたが、民衆の闘いには様々な創意にみちた政治的、経済的な政策や実践が見られました。マルクスはそれらのなかに、「未来のプロレタリア革命」がとるべき政治形態や社会政策の萌芽を発見し、それを普遍化しようと努めました。

これに対して、パリ・コミューンを「プロレタリア独裁」であると断定したのはエンゲルスで、史上初のプロレタリア革命であると判断したのはレーニンでした。

1　パリ・コミューンは普仏戦争におけるフランスの敗北を契機として起こった

１８７０年7月19日、フランス皇帝ナポレオン３世は、ライン川左岸の地をフランスに割譲することをドイツに対して要求して拒絶されたことと、スペインの王位継承問題を理由として、プロシャ（ドイツ国家統一前の最も強力な王国）に宣戦しました。この戦争はフランスとプロシャを主体としたドイツ諸邦との間の戦争となり普仏戦争または独仏戦役と呼ばれましたが、結果はドイツの大勝に終わりました。

１８７０年9月2日ナポレオン３世はセダン城で包囲されて降伏し、捕虜となりました。9月４日セダン城降伏という電撃的ニュースが伝えらえると、パリ市民は自然発生的に蜂起し、約50万人の民衆が臨時に召集された立法院会議場のあるブルボン宮に押し寄せ、会議場に侵入しました。そして、共和制の宣言と新政府樹立を強く迫りました。

その場で民衆の要求を受け入れることは、革命的人民政府の樹立につながる可能性があることを、ブルジョア議員たちは恐れました。ブルジョア共和派議員の画策により、革命派を排除しブルジョア共和派を主体とした閣僚による「国防仮政府」が形成されました。第３共和制の宣言に熱狂し、迫りくるプロシャ軍からパリをまもることに心を奪われていたパリの民衆は、ブルジョアジーによって騙されて主権を奪われたのでした。

同じ時期、パリ労働組合連合会、インターナショナル・パリ地区支部連合会などの主導によって、下から「パリ20区中央委員会」が結成されました。革命諸派は祖国防衛と共和制の擁護を統一目標として、仮政府に協力する立場に立ち、市民に向かって党派を越えた団結を呼びかけました。その結果、多数の市民が国民軍に志願し、総数は34万人にのぼりました。

9月18日パリはプロシャ軍による包囲状態に陥りました。仮政府は口先ではプロシャ軍に対する徹底抗戦をとなえていましたが、本気で戦う気はなく、裏で和平交渉をしていました。ブルジョアジーはプロシャ軍よりも武装したパリの民衆＝国民軍の方がはるかに恐ろしかったのです。10月には、仮政府と革命勢力との関係は敵対関係へと変わりました。籠城が長引くにつれ、食糧不足と寒さのためパリの民衆は非常に厳しい困難を強いられました。１８７１年1月初めから、プロシャ軍によるパリ市内への砲撃が開始されましたが、パリの民衆は英雄的な抗戦を続けました。

2月8日に行われた国民議会の選挙の結果、パリでは革命勢力が大勝しましたが、地方、特に農村地帯では王党派と穏健なブルジョア共和派が圧勝しました。2月15日、パリから遠く離れたボルドーで「田舎紳士の議会」と呼ばれた国民議会が開かれ、首班（行政長官）にアドルフ・ティエールを指名しました。

2月26日、プロシャとの講和を急ぐ仮政府はプロシャとの間に「ヴェルサイユ講和予備条約」を結びました。これにより、フランスはアルザスの殆んどとローレーヌの3分の1をプロシャに割譲し、50億フランという天文学的な賠償を支払うことになりました。それとともに、プロシャ軍のパリへの一時入場と、賠償金が一定額支払われるまで、パリ郊外などにプロシャ軍が駐留することを認めました。3月10日国民議会はヴェルサイユに移転することを決定しました。

3月18日未明、政府軍は奇襲作戦に出て、モンマルトルの丘など、パリの各所にある国民軍の大砲を奪取しようとしたことから、パリの民衆は蜂起し、その日のうちに国民軍はパリのほとんど全域を支配するに至りました。其の日の午後、ティエールは政府をパリから撤退することを提案するとともに、パリから逃亡しヴェルサイユへと向かいました。3月28日にはパリ支庁にてパリ・コミューンの宣言が行われ、ここに民衆によって革命政府が樹立されました。更に、4月19日に発表された「フランス人民への宣言」（コミューン綱領）では、あらゆる市町村（コミューン）の自治とその平等がうたわれました。ここでは共和国は対等な自治体の連合であるとともに国民的一体性を維持する意思が表明されています。

民衆の政権、パリ・コミューンは立法権と行政権を掌握して人民に対して責任を負い、議員も人民によって罷免することができ、司法機関の役人も人民の選挙に基づき選出されました。従来の軍隊や警察を解体して官史を人民の監督のもとにおくことを基本方針としました。

ヴェルサイユの仮政府は、プロシャ軍の支持をえて、コミューンに対して過酷な武力弾圧を加え、コミューンは5月28日に壊滅し、72日間という短命におわりました。

この戦闘でコミューン側の銃殺された者約2万人、死刑を含め処刑された者約1万3千人と言われています。

2　パリ・コミューンについてのマルクス、エンゲルス、レーニンの見解

（1）マルクスの見解

『フランスにおける内乱』はパリ・コミューンに関して国際労働者協会（第1インターナショナル）総評議会の呼びかけとしてマルクスによって書かれ、コミューン敗北直後の1871年5月30日付けで発表されました。

パリに樹立された民衆の革命権力はわずか72日間の短命に終わりましたが、勇敢な民衆の闘いは創意に満ちた政治的・経済的変革の様々な政策を生みだし、その実施にとりくみました。それらの政策中にマルクスは未来の「プロレタリア革命」がとるべき政治形態や社会政策の萌芽を発見し、それを普遍化しようと努めました。

パリ・コミューンが実施した政策の具体例を幾つか挙げてみます。

①常備軍を廃止し、それを武装した人民軍におきかえること。

②パリの市議会は各区で普通選挙により選出された市議会議員によって構成され、議員は選挙民に対して責任を負い、いつでも解任することができた（解任性）。

③立法機関と行政機関とを一体化し、同時に執行し、立法する行動機関とした。

④警察は人民弾圧のための中央政府の末端機関ではなくして、いつでも解任できるコミューンの吏員に変えられた。行政府のほかのあらゆる部門の吏員も同様であった。

⑤議員をはじめとして、公務員の賃金は労働者なみとする。

⑥すべての教会を国家から分離し、その基本財産を没収する。

⑦すべての教育施設の無料化と教会や国家による干渉の排除。

⑧閉鎖されたすべての作業場と工場を、補償を支払うという保留つきで、労働者の共同組織にひきわたした。

マルクスはこれらの政策から「労働者階級は、できあいの国家機構をそのまま掌握して、自分自身の目的のために行使することはできない」ということを最重要課題として強調しました。また、全体から見ると一見ささやかではありますが、経済的政策として、前記⑧に示されたことは、将来の「労働者生産共同組合」の意義を示唆するものとして見逃しませんでした。

「もし共同組合の連合体が共同計画に基づいて全国の生産を調整し、こうしてそれを自分の統制のもとにおき、資本主義的生産の宿命である不断の無政府状態と周期的痙攣とを終わらせるとすれば、諸君、それこそは共産主義『可能な』共産主義でなくてなんであろうか」。(『フランスにおける内乱』)

「コミューンの本当の秘密はこうであった。それは、本質的に労働者階級の政府であり、横領者階級にたいする生産者階級の闘争の所産であり、労働の経済的解放をなしとげるため、ついに発見された政治形態であった」ととらえました。

敗北したとはいえ、パリ・コミューンがプロレタリア階級の未来に貴重な教訓を残して、曙光を投げかけたことを、マルクスは高く評価して次のように述べています。

「労働者のパリとそのコミューンとは、新社会の光栄ある先駆者として、永久にたたえられるであろう」。

ここで注意しなければならないことは、『フランスにおける内乱』の中でも、その後においても、マルクスはパリ・コミューンの樹立をプロレタリア革命であるとも或いは社会主義革命であるとも述べていません。その政治形態をプロレタリ独裁であるとも一言も述べていないことです。

それのみならず、マルクスはパリ・コミューンについて次のように述べています。

「それらの方策（パリ・コミューンが採用した方策）には、その傾向を別とすれば、社会主義的なものはなにも含まれていない」（『フランスにおける内乱』第1草稿　1871年4～5月）。またパリ・コミューンは「例外的条件のもとでの一都市の反乱でしかなかったことは別として、コミューンの多数者はけっして社会主義派ではなかったし、またそうではありえませんでした」。（1881年2月22日　ニーウェンホイス宛ての手紙）

パリ・コミューンは「本質的に労働者階級の政府であり……労働の解放をなしとげるため、ついに発見された政治形態であった」という高い評価と、パリ・コミューンが採用した方策には「社会主義的なものはなにも含まれていない」、パリ・コミューンは「例外的条件のもとでの一都市の反乱でしかなかった……」という醒めた評価とは矛盾しているようにみえます。

マルクスの叙述には誤解を受けやすい表現がありますが、注意深く読んでみると前と後ろの二つの分析は矛盾していないことが分かります。

パリ・コミューンの樹立は確かに革命的であり、コミューンは抑圧された民衆、人民による革命政権に違いありませんでした。しかし、この革命をになった人々の階級・階層・指導者・指導政党・指導理念などをみてみると、パリ・コミューンはプロレタリア革命とも社会主義革命ともみなすことはできないと考えられます。このような状況がパリ・コミューンの基本的な歴史的・社会的現実であり、マルクスの醒めた評価もこのことを述べているといえます。一方、彼の高い評価は、限定的で、予兆的ではあれ、コミューンの錯綜した歴史的経験の中に垣間見られた、未来のプロレタリア革命の政治形態と社会革命の萌芽を「本質的なもの」として抽出し、それが普遍性をもつ重要な理念となりうることを訴えているものといえます。

（2）エンゲルとレーニンの見解

パリ・コミューンを「プロレタリア独裁」であると断定したのはエンゲルスでした。『フランスにおける内乱』のドイツ語第3版（1891年刊）への序文で、エンゲルスは次のように述べています。

「ドイツの俗物は、近頃プロレタリアートの独裁ということばを聞いて、またもやかれらにとって薬になる恐怖におちいっている。よろしい、諸君、この独裁がどんなものか諸君はしりたいのか？　パリ・コミューンを見てみたまえ。あれがプロレタリアートの独裁だった」。

レーニンは1917年8月～9月、まさにロシア10月革命の前夜に執筆した『国家と革命』の中で、パリ・コミューンを史上初のプロレタリア革命であったとし、次のように述べました。

「コミューンは、プロレタリア革命によって『ついに発見された』形態であり、労働者の経済的解放をすすめるための前提となる政治形態である。コミューンは、ブルジョア国家機構の粉砕を目指すプロレタリア革命の初めての試みであり、粉砕されたブルジョア国家機構に取って代わるべき『ついに発見された』政治形態である」。

エンゲルスおよびレーニンの見解は、マルクスが歴史的現実としてのパリ・コミューン像と歴史的経験から得られた未来のプロレタリア革命の萌芽から概念として形成されたコミューン像を区別していたことを無視しています。

ついでに述べておきますと、レーニンはパリ・コミューンの歴史的状況については、次のように適確に認識していました。

「１８７１年には、この（生産力の高度の発展とプロレタリアートの形成という革命の勝利のために欠かせない）条件は二つとも欠けていた。フランスの資本主義はまだたいして発展していなかったし、フランスは当時主として小ブルジョアジーの国であった。他方、労働者党はなかった。……広範な労働組合も協同組合もなかった」。（『レーニン全集』第17巻　Ｐ１３３）

レーニンは、一方で前記のようなパリ・コミューンをとりまく歴史的・社会的状況を的確に把握していながら、なぜパリ・コミューンを史上初のプロレタリア革命であるという判断を下したのか理解に苦しみます。

資料4　パリ・コミューンの性格と階級的構成

「コミューンの構成　パリ・コミューンは、その評議員の職業別・出身階層別構成からみるならば、労働者とプチ・ブルジョアの革命的民主連合政権という性格が濃厚である。

80余名の議員中、労働者ないし労働者出身議員は約25名を占めているが、近代的工場労働者は皆無であり、全部がヴァルラン、マロンのような職人的手工業労働者であった。そのうちの多くは、インターナショナルと労働者組合連合会議の活動的メンバーである。労働者議員とティラールのような辞任したブルジョア議員を除けば、残りの議員の大部分は、学者・ジャーナリスト・弁護士・文士・芸術家・学校教師などからなる知識分子であり、プチ・ブルジョア的な色彩が濃厚である。大革命への追憶を捨てきれず、社会革命よりも政治革命を優先させる傾向も、彼等に共通する特色といえよう。しかしジャコバン派といえども社会革命と「民主的・社会的共和国」の建設を熱心に追い求めていたのであり、社会主義を否定するわけではない。このようなことから判断するならば、パリ・コミューンはまさしく資本主義的搾取と疎外からの人間の解放を究極の目的とする、社会主義的革命政府であると規定できよう」。(桂圭男著『パリ・コミューン』岩波新書　144頁)

第十一章　プロレタリアート独裁とマルクス

プロレタリアート独裁に関する問題点

（1）プロレタリアート独裁は全てのプロレタリア革命にとって避けて通れない政治的過程なのか？
（2）もしもプロレタリアート独裁が必要であるとするならば、革命の激動期から共産主義社会建設期までの間のどの時期に関して必要なのか？
（3）プロレタリアート独裁は労働者階級の階級的独裁と言われながらも、革命党の一党独裁あるいは個人独裁に陥る場合が多かった。どうしたら、それを防ぐことができるのか？

1　プロレタリアート独裁（あるいはプロレタリアートの革命的独裁）とは

労働者階級が革命によって資本家階級の支配を打倒し、プロレタリア政権を樹立しても、ただちに共産主義社会が成立するわけではありません。

（1）一般に革命の激動期が治まってから共産主義社会建設の第一段階に着手するまでの移行期間を「過渡期」と呼んでいます。①激動期、或いは②激動期＋過渡期に労働者階級が政治的に独裁体制をとることを「プロレタリアート独裁」と言います。

革命期（激動期）——移行期（過渡期）——共産主義社会第一段階の建設開始

この独裁体制をどの時期にとるべきかということについて、革命の激動期に限定すべきであるという意見や激動期から過渡期全般まで延長する必要があるとする意見など様々な意見がみられます。

（2）その主な目的

① 旧支配階級の資本家階級の反抗や反革命勢力の反乱あるいは外国からの干渉などと闘うとともに、共産主義社会建設の準備・推進にあるとされています。

過去の歴史上の独裁政治が少数者による多数者に対する支配であったのに対して、プロレタリアート独裁は圧倒的多数者である労働者階級による旧支配階級である少数者＝資本家階級に対する支配であることです。

② この独裁体制はその支配を永続化することが目的ではありません。資本家階級が消滅すれば労働者階級の支配を継続する必要はなくなります。労働者階級の解放を介して、人間による人間の支配のない無階級社会を創ること、つまり全人類の解放が究極の目的です。

2　マルクスのプロレタリアート独裁に関する言説

（1）マルクスのプロレタリアート独裁の概念形成

マルクスが「プロレタリアート独裁」という用語を使用したのは、彼の著作全体を通じて、わずか数回にすぎませんでした。それらの言説は、１８４８年のヨーロッパ大陸における諸革命の時期と、１８７１年のパリ・コミューン後の二つの時期に集中していました。それらはいずれも簡単な叙述で、その内容は一貫性に欠けていました。

マルクスにとって「プロレタリアート独裁」という概念は熟慮を重ねて形成されたものとは言い難いと見なさざるをえません。

厳密さに欠ける彼のプロレタリアート独裁の概念規定は、レーニンの解釈を介して、後の世の共産主義運動に悪影響を与えたことを否定できません。

（2）文献に見られるプロレタリアート独裁に関するマルクスの叙述

①　１８４８年2月に公表された『共産党宣言』はマルクスとエンゲルスの共著で、この中には「プロレタリアート独裁」という用語は使われていませんが、実質的にプロレタリアート独裁を意味していると思われる部分がありますので、挙げることにしました。

「労働者階級の第一歩は、プロレタリア階級を支配階級に高めること、民主主義を闘いとることである。プロレタリア階級は、その政治的支配を行使して、ブルジョア階級から次第にいっさいの資本を奪い取り、いっさいの生産用具を国家の手に、すなわち支配階級として組織されたプロレタリア階級の手に集中して、生産力をできるだけ速やかに増大させるであろう。このことは、もちろんさしあたっては、所有権およびブルジョア的生産関係に対して専制的な介入によってしかおこなわれ得ない」。(『共産主義者宣言』金塚貞文訳)

② 1848年2月革命から1850年10月にいたるフランスにおける階級闘争について述べた『フランスにおける階級闘争』(1850年)で、マルクスは初めて「プロレタリアートの革命的独裁」という用語を用いいました。

「プロレタリアートは、ますます革命的社会主義のまわりに、すなわちブルジョアジー自身がそれにたいしてブランキなる名称を考えだした共産主義の周囲に結集しつつある。この社会主義は革命の永続宣言であり階級差異一般の廃止に……到達するための必然的な経過点としてのプロレタリアートの階級的独裁である」。

③　１８５０年４月、マルクスとエンゲルスは共産主義者同盟を代表して、ブランキ派（フランス）やチャーチスト左派とともに「革命的共産主義者万国協会」を設立しました。その協定の第１項は次のように記されていました。

「本協会の目的は、人類家族の最後の組織形態たるべき共産主義が実現されるまで革命を永続的に続けながら、すべての特権階級を打倒し、これらの階級をプロレタリアート独裁に従属させることである」。（「革命的共産主義者万国協会協定」１８５０年４月、マルクス・エンゲルス全集　第７巻、５６２頁）

④　「１８５２年３月５日付　ワイデマイヤー宛ての手紙」（全集28～４０７）

「ところで僕について言えば、近代社会における諸階級の存在を発見したのも、諸階級相互間の闘争を発見したのも別に僕の功績ではない。僕よりずっと前に、ブルジョア歴史家たちがこの階級闘争の歴史的発展を叙述していたし、ブルジョア経済学者たちはその経済的解剖学を叙述していた。僕が新たに行ったことは、１、所階級の存在は生産の一定の歴史的発展段階とのみ結び付いているということ、２、階級闘争は必然的にプロレタリアート独裁に導くということ、３、この独裁そのものは、一切の階級の廃止への、階級のない社会への過渡期をなすに過ぎないということを、証明したことだ」。

前記②・③・④の叙述では「プロレタリアート独裁」の歴史的必然性を主張しています。

⑤　1871年のパリ・コミューンについて書かれた『フランスにおける内乱』（第一草稿　全集17―517）では、「コミューンの組織がいったん全国的な規模で確立された時、恐らくその前途になお待っている災厄は、奴隷所有者の散発的な反乱であろう。それらの反乱は、平和な進歩の仕事をしばらく中断させはするが、社会革命の手に剣をにぎらせることによって、かえって運動を促進するだけであろう」と。

プロレタリアート独裁は、旧支配階級が引き起こす可能性のある反革命的反乱を平定する役割を果たす。その意味では、プロレタリアート独裁は、すべてのプロレタリ革命に不可欠であるとは言えない。旧支配階級の出方次第によって、革命権力の対応も異なってくる。このように、マルクスはプロレタリアート独裁を相対化する考えに移りつつあったと考えられます。

⑥　1871年9月、パリ・コミューンが壊滅してから4か月後、マルクスは次のように述べています。

「こうした〈階級支配と抑圧を一掃する〉変革が実現されるに先だって、プロレタリアート独裁が必要となるであろうし、そしてそれと第一の条件は、プロレタリアの軍隊である。労働者階級は戦場において自己を解放する権利をたたかいとらなければならないであろう」。(『国際労働者協会創立7周年祝賀会演説』全集17巻、405頁)

⑦「資本主義社会と共産主義社会との間には、前者から後者への革命的転化の時期がある。この時期に照応してまた政治上の過渡期がある。この時期の国家はプロレタリアートの革命的独裁以外のなにものでもありえない」(『ゴータ綱領批判』1875年に書かれ、マルクス死後1890年に公表された。全集19巻28～29頁)

3　マルクスにおける「プロレタリアート独裁」論の変遷

(1)『フランスにおける階級闘争』(1850年)で、マルクスは初めて「プロレタリアートの革命的独裁」という用語を用いたことは先に述べました。そして社会主義革命においてプロレタリアートの階級的独裁は必然的であると述べています。

１８４８年フランスの「2月革命」を発端として、ドイツ、オーストリア、イタリア、ポーランドなど広くヨーロッパ諸国を激動させた革命に際し、マルクス、エンゲルス自身もドイツ革命に参加しました。

１８４８年当時、彼らはドイツにおいてブルジョア革命に引き続いてプロレタリア革命が遠からず起こるに違いないという幻想にとらわれていました。更に革命が退潮した後の１８５０年になってもフランスではプロレタリア革命が勝利するに違いないと確信していました。

しかし、この革命によせたマルクス、エンゲルスの展望は無残にも打ち砕かれました。

「プロレタリアートの革命的独裁」の提唱は、フランスの2月革命やドイツの3月革命などの武装闘争を含んだ幾多の波乱に富んだ階級間の激烈な闘争の総括に基づいたものと考えられます。

フランスにおける「2月革命」で一翼を担った労働者階級は歴史上初めて階級として登場したとされていますが、労働者民衆の「6月蜂起」はカヴェニャック将軍指揮下の共和国軍隊によって容赦なく鎮圧されました。

6月蜂起に対する過酷な弾圧を見て、全てのブルジョア権力とブルジョア民主主義の本質は「ブルジョア独裁」であることが暴露されたとマルクスはみなしました。

ブルジョア独裁に対抗してこれを打ち破るには、プロレタリア階級の「階級的独裁」が必要不可欠であることを感じたと言えるでしょう。

（2）1852年3月の「ワイデマイヤー宛ての手紙」でも「階級闘争は必然的にプロレタリア独裁に導く」と述べ、前記『フランスにおける階級闘争』と同じ考えを示しています。

（3）しかし、1851～1852年に書かれた『ルイ・ボナパルトのブリュメール18日』では、「プロレタリアート独裁」という言葉は一言も用いられていません。かつ、ブルジョア国家には幾つかの形態があり、ブルジョア国家権力すべてを一まとめにして「ブルジョア独裁」ととらえる考えを見直しています。

（4）『フランスにおける内乱』に現れたマルクスの考えの変化

パリ・コミューンについて書かれた同書では、プロレタリアート独裁の主な目的は、①プロレタリアート権力に対抗して旧支配階級（資本家階級）が起こすであろう反革命的な反抗や反乱を鎮圧することであること、②プロレタリアート独裁は全てのプロレタリアート革命に絶対に避けることのできない必要不可欠な手段ではないこと、③革命権力が独裁体制を取るか否かは旧支配階級の出方次第である、というように、マルクスの考えに変化がみられます。

さらに、プロレタリアート独裁は、この手段を行使せざるをえない場合にも、革命期に限定して、短期間で終わらせることができるであろうというように、マルクスの考えが柔軟なものに変化してきたと受け取れます。

パリ・コミューンの敗北の過程で、コミューンの戦士がベルサイユ軍によって残酷な虐殺を受けたことを知った上でのことです。

（5）1875年に書かれた『ゴータ綱領批判』では、「資本主義社会と共産主義社会との間には、革命的転化の時期つまり過渡期がある。この時期の国家（政治体制）は革命的独裁以外の何ものでもない」と述べ、プロレタリア革命にプロレタリアートの革命的独裁は必然であるという考えに戻っています。

さらに問題なのは、プロレタリア革命から共産主義社会の第1段階（通常社会主義社会と呼ばれる）の入口までを「革命的転化の時期＝過渡期」として、この時期を全体としてプロレタリアート独裁の時期としています。

つまり、この主張は、プロレタリアート独裁を革命の激動期のみでなく、階級的対立が沈静した後の過渡期の全期間を通して継続させるという考えであり、独裁体制が則るべき「一時性」、「暫定性」という原則が無視されています。

ここに示されているマルクスのプロレタリアート独裁の規定は『フランスにおける内乱』で示され

たプロレタリアート独裁に関する考えと明らかな相違がみられ、「フランスにおける階級闘争」で見せた考えにもどっています。

4　プロレタリアート独裁に関するマルクスの楽観論

マルクスは『ルイ・ボナパルトのブリュメール18日』（1851～1852）で、ルイ・ボナパルト（ナポレオン3世）のフランス第2帝政の腐敗性を痛烈に批判しましたが、労働者階級の革命国家の権力が腐敗・堕落する危険性については思いいたらなかったように見えます。

革命期にしても過渡期にしても、本来ブルジョア的自由と民主主義を超える自由と民主主義を獲得する途上にあるはずです。その様な時期に、一時的にせよ、やむをえず独裁制を取り入れざるを得ないということは自己の理念に反することです。

独裁権力が自ら独裁制を解体して、自己が陥ってる自己矛盾を克服するという自浄能力を持ちうるか否かという課題です。

5　労働者階級と革命党の関係について

①「プロレタリア運動は、圧倒的な多数者のための、圧倒的な多数者の自立的運動である」（『共産党宣言』第1章）

②「労働者階級の解放は労働者階級自身によってたたかいとられなければならないこと、……」（1864年10月　『国際労働者協会　一般規約』）

③「この社会主義は、革命の永続宣言であり、階級差異一般の廃止に……到達するための必然的な経過点としてのプロレタリアートの階級的独裁である」（『フランスにおける階級闘争』）

前記のマルクスの文章からも分かるように、労働者階級の解放運動に関するマルクスの基本的考えは、労働者階級の自立的運動でなければならないこと、プロレタリアート独裁はプロレタリアートの「階級的独裁」であることを明言しています。

その他の論文を含め、彼の論文の中に革命家や革命党の役割、革命家や革命党と労働者階級の運動との関係はどうあるべきかという問題について述べられた文章を殆んど見ることができません。

労働者解放運動と革命家・革命党の関係という重要な課題について、マルクスが意識していなかったはずはありません。十分に検討し、提唱する時間的余裕がなかったのでしょう。

6　ルソーとバクーニンの独裁制についての考え

(1) ルソーの独裁制に対する考え

ジャン・ジャック・ルソー（１７１７～１７７８）はフランス革命に対して大きな思想的影響を与えました。その著書『社会契約論』は、18～19世紀のフランスにおける独裁思想の源ともなっていると言われています。そこでは独裁制について「その任期は極めて短い期間として延長できないものに定められることが重要である。……さし迫った必要が出るやいなや、独裁制は暴政となるか無用なものに化してしまう」と警告しています。（『社会契約論』『世界の名著　36』３４３頁）

例外的な非常事態において、一時的に独裁制を採用することを認めたとしても、もしそれが長期化するならば独裁制は専制政治に転化する恐れがあるということです。

(2) バクーニンのマルクスに対する批判

ミハイロ・アレクサンドロヴィッチ・バクーニン（１８１４～１８７６）はロシアの無政府主義者・革命家で、主に西欧で活躍しました。マルクスとも交流があり、１８６４年に創設された第１インターナショナル（国際労働者協会）にも参加しましたが、後にマルクスと対立し、除名されました。

彼はその著書『国家と無政府』（バクーニン著作集、第6巻255頁）のなかで次のように述べています。「いかなる独裁も、自己の永久化以外の目的をもつことができず、また独裁を耐え忍ぶだけである人民の中には奴隷制を生みだし、それを教育することができるだけであり、自由は自由のみによって、すなわち全人民的蜂起と、下から上への労働者大衆の自由な組織によってのみ生み出すことができる」。

つまり、革命的独裁といえども、独裁体制ははたして自発的に自らの支配体制を解体する自浄能力を持ちえないという考えです。

マルクスに体系的な国家論や民主主義論がないことを責めることはできませんが、民主主義や独裁について政治学的な検討が稀薄であると言わざるをえません。

第十二章　「アソシエーション」というマルクスの概念
――未来社会の組織論のキーワード

未来社会は自立した自由な諸個人の連合化（アソシエーション）として実現されるであろう。

1　無視されてきた「アソシエーション」

マルクスの著書には「アソシエーション」（英語 Association、ドイツ語で Assoziation）という用語が数多く用いられており、かつ極めて重要な意味をもった概念として使われています。ことに、未来社会及び未来社会にいたる過渡期社会の構想として重要です。いわば未来社会の組織論に係わる概念と言ってもよいと思います。

にもかかわらず、近年にいたるまで、マルクス主義思想史の中で、この「アソシエーション」という用語は思想的・理論的に統一的概念として把握されることはありませんでした。むしろ無視され続けてきたと言った方が良いように思われます。

私自身、長年マルクスの文献に接していながら、概念としての「アソシエーション」に気づくことなく過ごしておりました。１９９０年代の半ばに田畑稔著『マルクスとアソシエーション』（１９９４年第1版　新泉社刊）を手に取ることによって初めて目を開かされ、まさに「目から鱗が落ちる」思いでした。

何故このようなことが起こったのか。一つの理由として、少なくとも日本では、「アソシエーション」という用語に対する一般的な用語がなかったということが挙げられます。そのため翻訳する場合には、ある一定の文章の文脈から適当と思われる言葉が選ばれざるをえなかったと言えます。

もう一つの理由として、１９１７年10月のロシア革命以降、ソ連型社会主義体制（一党独裁と中央集権的指令型経済）の成立にともなって国際的に普及した「マルクス・レーニン主義」の教義と「アソシエーション」の概念が相反するためであったと考えられます。

2　アソシエーションの訳語と意味

マルクス自身は「アソシエーション」の定義を述べてはいません。

『広辞苑』（岩波書店）の「アソシエーション」の項を見てみますと、「共通の関心をもとに一定の目的を果たすため人為的に作られた集団。学校、協会、会社、連盟、協会など」とあります。

田畑稔氏の前記の著書によれば、日本語訳の『マルクス・エンゲルス全集』（大月書店版）においては、アソシエーションの訳語は、協同すること・協同組合・協同団体・共同社会・連合・連合体・連帯など20にも及ぶとのことです。

前記の著書で田畑氏は、「『アソシエーション』は、諸個人が自由意思にもとづいて、共同の目的を実現するために、力や財を結合するかたちで、『社会』をつくる行為を意味し、また、そのようにしてつくられた『社会』を意味する」と述べています。ここで「社会」と述べられている用語は「組織」に置きかえることもできると思われます。

3　マルクスの文献に表れた「アソシエーション」

「アソシエーション」が用いられている文章は多数ありますので、そのうちの幾つかを挙げてみます。

①「これ（革命的プロレタリアの共同体）へは、個人は個人として参加する。これこそまさに、個人の自由な発展と運動との諸条件を自己の統制のもとにおくところの、個人の結合「アソシエーション」に

ほかならない」（1845～1846年『ドイツ・イデオロギー』古在由重訳　岩波文庫）

②「現実の共同社会にあっては、諸個人は、彼等のアソシエーションのなかで、また彼らのアソシエーションをとおして、同時に彼らの自由を獲得する」（同前　マルクスの筆跡の頁）

③「諸階級と階級諸対立をともなう古い市民社会に代わって、各人の自由な展開が万人の自由な展開の条件であるような、一つのアソシエーションが出現する」（1848年『共産党宣言』MEW4～482）

④「第1インターナショナル」＝「国際労働者協会」は1864年9月ロンドンで開催された国際労働者集会で創立されました。この協会の英語による名称はInternational Working Men. s Associationで、協会は「アソシエーション」と表されています。マルクスはこの協会の「創立宣言」と「暫定規約」を起草する小委員会の委員として、これらを作成しました。

⑤「その［共同組合運動の］偉大な功績は、資本の下への労働の従属という、現在の窮民化させる専制的システムが、自由で平等な生産者たちのアソシエーションという、共和制的で共済的なシステムによっとって代えられるということを、実践的に示した点にある」（1866年『暫定総評議会代議員への個々の問題に関する通達』MEGA ～20～232）

⑥「生産手段の国民的集中は、共同の合理的プランにもとづき意識的に活動する、自由で対等な生産者たちの諸アソシエーションからなる一社会の自然的基礎となるだろう」（『土地の国民化について』MEW ～

62）

⑦協働組合の連合体による計画的生産

「もし協働組合の連合体が共同計画に基づいて全国の生産を調整し、こうしてそれを自分の統制のもとにおき、資本主義的生産の宿命である不断の無政府状態と周期的痙攣とを終わらせるとすれば、それこそは共産主義、『可能な』共産主義でなくてなんであろうか！」（１８７１年『フランスの内乱』17～３１９～３２０）

4　共同社会の形成と諸個人の自立化

マルクスは未来社会を新たな共同社会として構想していました。その未来の共同社会の基礎をなすものは、生産手段の共同所有と合理的プランに基づく共同的生産活動であり、それを可能にするのは自由で対等な諸個人の結びつき、つまりアソシエーションであるとしています。

このように、共同体、共同性の実現は、単に近代市民社会において失われた共同性の回復を意味するのみでなく、同時に個人・個性（個人性）の発展と一体（相即）の関係として、共同社会の実現・発展は個人の自立化・自由の拡大・全面的展開を可能にするものとして考えられていました。

マルクスの描いた未来の共同社会では、諸個人の自立と個人性の発展に基づく、主体的・自覚的な共同性の形成は諸個人の連合化（アソシエーション）として実現されるものととらえられていたといえます。

第十三章　過渡期の政治・経済に関するマルクスの構想とその変遷
「生産手段の私的所有の廃止」から「労働の解放」へ

初期のマルクスは、共産主義の理論のなかで、最も重要なことは「生産手段の私的所有の廃止」であると断言していました。

全ての生産手段を中央集権的国家の所有とし、国家中心の経済の計画・運営を過渡期の社会建設の基本路線とすべきであるとしました。

しかし、１８５０年代後半になると、批判的ないし否定的であった労働者の生産協同組合に対する評価が肯定的に変わり、「10時間労働法」の獲得など労働条件の改善のための改良闘争を高く評価するようになりました。

１８６４年、「国際労働者協会」（第１インターナショナル）の創立に際して、「創立宣言」とともに発表された「暫定規約」には「労働者階級の経済的解放こそが最終目的である」と明言しています。

資本主義体制の変革の根本問題として「生産手段の私的所有の廃止」の重要性がなくなったわけでは

ありませんが、それ以上に「労働の解放」という問題が重要視されるようになったのです。つまり、生産活動の現場における労働のあり方をより重視するようになったと言えます。

1　生産手段の私的所有の廃止と中央集権国家指向

（1）生産手段の私的所有の廃止

1848年、マルクスとエンゲルス共著の『共産党宣言』第2章「プロレタリアと共産主義者」では、次のように述べられています。「近代の私的所有は、階級対立に、すなわち人間による人間の搾取にもとづく生産物の生産と取得、その究極的な、そしてもっとも完成された表現である。この意味で、共産主義者は自分の理論を一つに要約することができる。——すなわち、私的所有の廃止」と。（『共産主義者宣言』　金塚貞文訳　太田出版）

つまり、共産主義者の理論で最も重要なことは、「ブルジョア的私的所有」＝「生産手段の私的所有」の廃止であると表明しています。同章で更につぎのように述べています。

（2）生産手段の国家への集中

「プロレタリア階級は、その政治的支配を行使して、ブルジョア階級からいっさいの資本を奪い取り、いっさいの生産用具を国家の手に、すなわち支配階級として組織されたプロレタリア階級の手に集中して、生産力をできるだけ速やかに増大させるであろう」。

次に、10項目の具体的方策が出されていますが、このうち5～8の4項目をとりあげてみます。

⑤国家資本および排他的独占をもつ国立銀行による、信用の国家への集中。

⑥全ての運輸機関の国家への集中。

⑦共同計画による国有工場と生産用具の増加。

⑧すべての国民に対する平等の労働の義務、とくに耕作のための産業軍の編成。

ここに述べられている施策を要約しますと、すべての生産手段を国家が所有し、かつ国家に集中し、国家権力を全面的に行使して、国家中心の経済計画と運営を推進することを過渡期社会建設の基本路線として描いていたと言えます。生産手段の国有化と国家への集中、そして国家中心の経済計画・運営という政策は、永続的なものではなく、あくまで過渡期の政策であることが想定されています。経済の発展にともない、階級の差異が消滅して、すべての生産が結合された個人の手に集中していけば、公的権力は政治的性格を失うであろうと楽観的に予測しています。

（3）中央集権国家体制を指向

1850年3月、マルクスとエンゲルスから発せられた、共産主義者同盟「中央委員会の同盟員への呼びかけ」の中で、ドイツの革命運動に関して、ドイツがどのような政治体制をとるべきかについて、連邦共和制及び、市町村の自治制に反対し、中央集権国家体制を目指すべきことを訴えました。「労働者は、……単一不可分のドイツ共和国を目指して努めるだけでなく、この共和国内でも、権力を国家権力の手に最も徹底的に集中することを目標として努めなければならない」と。この時点でのマルクスのドイツの政治情勢に対する分析は、革命情勢が続いていて、ブルジョア民主主義革命から急速にプロレタリア革命へ移行しうるとの見方にたっていました。労働者階級はブルジョア国家の中央集権化を徹底化させることに努め、その中央集権制を自らの労働者国家へと引き継ぐことができるという構想です。

しかし、労働者階級が「民主主義をたたかいとり」、発展させることと、国家の手に権力を集中することとは、相反することであり、更に国家への権力の集中は、将来の国家廃絶という目的とも背反する行為であるはずです。この時点では、マルクスはこれらの矛盾に気づいていなかったか、あるいは楽観的に考えていたのではないかと思われます。

2　過渡期社会像の新展開

マルクスは、１８５０年代前半までは、イギリスで盛んになってきた「労働者生産協同組合」に対して批判的ないし否定的態度をとってきました。

その理由の一つとして、労働組合が支配階級から違法扱いを受けていたのに対し、生産協同組合運動は１８５２年には、その地位を法的に保護されるようになり、労働貴族を基盤とした新型組合と結びあっていたことなどが挙げられます。

１８６０年代に入り、マルクスの過渡期社会に関する考えに新たな展開がみられるようになりました。１８６４年、「国際労働者協会」（通称　第１インターナショナル）の創立に際し、マルクスは「創立宣言」と「暫定規約」を執筆することになりました。これらは労働運動の諸潮流を幅広く包括しようとする姿勢とともに、従来とは明らかに異なった新しい未来社会の構想が表明されています。

「創立宣言」では、１８４８年のヨーロッパ諸国における革命運動の敗北後の労働運動を回顧し、この間労働運動は二つの大きな勝利を獲得したことを指摘しています。一つは、英国における「10時間労働法」の獲得で、もう一つは「労働者生産協同組合運動の前進」でした。特に後者について非常に高く評価しています。

マルクスが労働者生産協同組合運動を高く評価した理由は、現に存在する生産協同組合活動以上に、協同組合活動に秘められている可能性に着目したからでした。それは資本主義経済機構を超えて、それにとって代わるべき未来の発展可能性でした。

マルクスは、「創立宣言」の中で次のように述べています。「近代科学の要請に応じて大規模に営まれる生産は、①働き手の階級を雇用する主人の階級がいなくてもやっていけるということ、②労働手段はそれが果実を生み出すためには、働く人自身に対する支配の手段、強奪の手段として独占されるには及ばないということ、③賃労働は、……やがては、自発的な手、いそいそとした精神、喜びに満ちた心で勤労に従う協同労働 Associated labor に席をゆずって消滅すべき運命にある」と。つまり、生産協同組合活動において、労働者自身が①生産を経営・管理し、②生産手段を所有し、③相互に自由で対等な関係で連帯した自発的な協同労働として生産活動を達成し得ることを如実に示しつつあり、資本主義的生産体制にとって代わるべき未来の生産体制の予兆をそこに見出すことができたのです。

労働者生産協同組合の普及は大いに評価すべきことですが、資本主義社会のもとでの普及には限界があることと、経済の大勢が資本の支配のもとにある中では根本的な労働の解放を実現することはできません。

マルクスは「勤労者大衆を救うためには、協同組合制度を全国的規模で発展させる必要があり、したがって国民の資金でそれを助成しなければならない」、そのためには「政治権力を獲得することが、労働者階級の偉大な義務」であると述べています。

協同組合運動の発展を高く評価するとともに、「暫定規約」に「労働者階級の解放は労働者自身の手によって獲得されねばならない」こと、そして「労働者階級の経済的解放こそ偉大な最終目標であり、あらゆる政治的運動は手段としてこの目的に従属すべきものである」ということを大原則として確認することを求めました。

このように「創立宣言」にも「暫定規約」にも労働者階級解放の究極的目的として「労働の解放」＝「経済的解放」を掲げたのです。

「暫定規約」で、これまで資本家階級の経済的支配を正当化する理論を展開してきた経済学に対抗する労働者階級の立場に立つ新たな経済学は「所有の経済学に対する労働の経済学」であると述べられています。

3　根本的転換の表明……「新たな共産党宣言」

国際労働者協会の「創立宣言」と「暫定規約」に表明されたマルクスの過渡期及び未来の構想を『共産党宣言』（１８４８年）段階のそれと比較してみるならば、根本的な転換が認められます。

第１に、１８５０年代初めまでは批判的ないし否定的であった「労働者生産協働組合」を肯定的に受け入れるようになったことです。

第2に、資本主義体制内での労働者生産協働組合運動や「10時間労働法」の獲得という、いわば改良闘争に対する評価の大きな転換です。

改良闘争と革命闘争とを有機的に結合しようとする柔軟な運動論ないし組織論への転換が見られます。

第3に、資本主義体制変革の根本問題を「所有の問題」から「労働の問題」へ移し、それにともなって、大目的を表すスローガンを「私的所有の廃止」から「労働の解放」へと転換させています。

4　『経済学・哲学草稿』（1844年）から『資本論』（1867年）への歩み

青年マルクスは、『経済学・哲学草稿』において、一切の人間の隷属を解き明かす鍵が生産と労働者の関係にあることを追求し、「疎外された労働」あるいは「労働における自己疎外」が人間的隷属の根本的原因であると、把握しました。労働を疎外された状態から解放することによって、人間対自然、人間対人間の争いを解決しうると考えました。

1848年エンゲルスと共に著した『共産党宣言』では、生産手段の私的所有こそが「労働における自己疎外」の根本的問題であるととらえ、生産手段の私的所有の廃止を第一課題として掲げました。

しかし、1849年の『賃労働と資本』において、資本家階級の支配と労働者階級の隷属のおおもとをなす「直接的生産過程」すなわち、生産活動の現場における労働のあり方の分析へと歩みを進めました。そのことを通して、私的所有制の廃止も根本問題に違いありませんが、それ以上に「労働の解放」つまり「資本の支配からの労働の解放」という課題がより重要であると考えられるようになり、そのテーマが次第に主題の位置を占めるようになったと思われます。

労働の解放のためには生産手段の私的所有制が廃止されることが大前提ですが、私的所有制の廃止が実現されたとしても、それだけでは労働の解放は実現されません。まず生産手段の私的所有が廃止されて社会的所有に転換された場合に、社会的所有がどのような形態をとるのかということが重要です。つまり、社会的所有といっても、国有化もあれば、地方自治体（コミューン）の所有、企業体の所有等など様々な形態があります。

さらに重要なことは、生産手段および労働の管理・運営を誰がどのように行うのかということです。労働の解放は生産活動の現場での労働のありかたとして実現されねばなりません。

第十四章　未来社会（共産主義社会）に関する構想――概略

一般に、マルクスは未来社会（共産主義社会）に関して具体的な青写真を描くことはほとんどなかったと言われています。しかし、丹念に彼の著書を読んでみると、未来社会にいたる過渡期社会と未来社会について言及している部分が少なからず認められます。

マルクスの未来社会像について、その基本的な構想をまとめてみることにしましょう。

マルクスの未来社会像について更に関心をお持ちの方は、資料５「未来社会像に関連するマルクスの文献」（後掲）をご参照下さい。

（1）共産主義社会の理念：この社会を構成する主体は、自由で対等な、相互に共同的に関連した諸個人であり、この社会は「各人の完全な自由な発展を根本原理とするより高い社会形態」であり、「各人の自由な発展が万人の自由な発展にとっての条件であるようなアソシエーション（協同社会）」（『共産党宣言』）であるということです。

(2)社会的生産活動は共同的生産：生産手段の私的所有(私有財産制)は廃止され、生産手段は社会的所有となります。労働は資本の支配から解放され、相互に自由で対等な関係の人々により、意識的・計画的に行われます。

ここで大切なことは、生産手段の社会的所有は国家的所有(国有化)やそれに準ずる官僚的管理下に置かれるようなあり方であってはならないということです。また、意識的・計画的生産も中央集権的計画経済を意味するものではありません。ましてや、上意下達の指令型計画経済などもってのほかです。

(3)生産は利潤追求を目的とした商品生産とは異なり、社会的必要をみたすために直接的な社会的生産として行われます。その生産物は商品ではないので、商品として売買されることなく、人々は貨幣により対価を支払うことなく、受け取ることができます。同時に、また、生産に従事した労働に対してその対価としての賃金の支払いもありません。人々の社会的活動は貨幣を媒介とすることがなくなり、貨幣のない社会となります。

『ゴータ綱領批判』(前掲)のなかで、マルクスは共産主義社会の高度の段階について、「各人はその能力に応じて、各人はその必要におうじて！」と述べています。つまり、各人は能力に応じて働き、各人は必要に応じて生活資料やサーヴィスを得るという意味です。

（4）①社会は、経済的には協同組合型の地域組織（アソシエーション）を基礎とし、生産手段の社会的所有原則としてアソシエーションの共同所有となり、生産の計画・管理もここが主体となります。②政治的形態としては、分権的な地域自治体（地域コミューン）を基礎とすべきであり、これらの重層的な連合体として労働者国家ないし社会が形成されるべきであるとされています。中央集権国家、一国家一工場という中央集権的計画経済は官僚化を招くことから避けねばなりません。

未来社会においては、階級の存在が亡くなり、階級対立と階級的抑圧もなくなり、これに伴って、人間による人間に対する支配としての「国家」も消滅し、人々は相互に自由で対等な関係の社会が形成されるであろうと述べています。

（5）生産力の高度の発展と労働の資本の支配からの解放により、①必要労働（時間）の短縮と自由時間の拡大②精神労働と肉体労働の対立の解消、③個人の特定の職業への拘束の解消などにより、必要労働さえも義務的な労働としてではなく自発的労働に転化するであろうとしています。共産主義社会の第一段階（レーニンはこれを社会主義社会と呼びました）では、「各人は能力に応じて働き、労働の成果に応じて生活資料を受け取る」ことを社会的規律とし、取得の権利が労働の成果によって制限される規制があります。しかし、第二段階（レーニンは共産主義社会と呼びました）に進むと、「各人は能力に応じて働き、各人は必要に応じて受け取る」ことができるようになり、労働の成果による制限がなくなります。
したがって、各人の労働と消費は各人の自由意思にまかされることになります。

資料５　未来社会像に関連するマルクスの文献

（１）『ドイツ・イデオロギー』（１８４５年　エンゲルスとの共著）
「革命的プロレタリアたちの共同社会には、諸個人は諸個人として参画する。諸個人のコントロールの下に、諸個人の自由な展開や運動の諸条件を与えるのは、まさに諸個人の連合化なのである」。（『ドイツ・イデオロギー』広松渉編　１３２）

（２）『共産党宣言』（１８４８年）
「階級と階級対立をともなう古い市民社会にかわって、各人の自由な発展が万人の自由な発展のための条件となるような連合体が出現する」。（『共産党宣言』　４～４９６）

（３）『経済学批判要綱』（１８５７～１８５８年）

「諸個人の普遍的発展のうえに、また諸個人の社会的力能としての彼らの共同体的・社会的な生産性を従属させることのうえにきずかれた自由な個性は、第三段階である。第二段階は第三段階の諸条件をつくりだす」。（『経済学批判要綱』Ⅰ　高木幸次郎　監訳　大月書店）

（4）『労働評議会に宛てた手紙』（ＭＥ全集　第10巻126頁　1854年）

「英国の労働者階級は近代工業の無尽蔵の生産力をつくりだすことによって労働を解放する第一条件を達成した」。

（5）『資本論』第一部（1867年）

「共同の手段をもって労働してその多くの個人的労働力を自覚的に一つの社会的労働力として支出するような、自由人たちの一団を考えてみよう。……社会的生活過程すなわち物質的生産過程の姿態は、自由に社会を構成する人々の産物として彼等の意識的な計画的統制のもとに立つばあいにのみその神秘的な霞の衣をぬぎすてる」。（『資本論』第1部、上　長谷部文雄訳）

「自由の領域は、事実上、窮迫と外的合目的性とによって規定される労働がなくなる所ではじめて始まる。だからそれは、事態の本性上、本来的な物質的生産の部面の彼岸に横たわる。未開人が自分の欲望を充たすため、自分の生活を維持し再生産するために自然と戦わねばならないように、文明人もかかる戦いをせねばならず、しかもどんな社会形態、ありうべき（ありうる）どんな生産様式のもとでもかかる戦いをせねばならぬ。人間の発展につれて、欲望が拡大するがゆえに、この自然的必然の領域が拡大する。だが同時に、この欲望を充たす生産力も拡大する。この領域内での自由は、ただ社会化された人間・結合した生産者たちが、自然とのかれらの質料変換により盲目的力によっての如く支配される代わりに、この質料変換を合理的に規制し、彼等の共同統制のもとに置くという点――最小の力を充用して、彼等の人間性に最もふさわしくもっとも適当な諸条件のもとで、この質料変換を行うという点――にのみありうる。だが、これは依然として常に必然の領域である。必然の領域の彼岸において、自己目的として行われる人間の力の発展が、真の自由の領域が、――といっても、かの必然の領域を基礎としてのみ開花しうる自由の領域が――はじまる。労働日の短縮は根本条件である」。(『資本論』第3部・下　長谷部文雄訳　1151頁)

著者註：「必然の領域の彼岸」とは「生活に必要な物質的生産を充分に満たし、それを超えた余裕の領域で、必要性によって拘束されない自由な時間と活動」を意味しています。

(6)『中央評議員会への指示』(16～194、1867年?)

「その［共同組合運動の］偉大な功績は、資本の下への労働の従属という、現在の窮民化させる専制的システムが、自由で対等な生産者たちのアソシエーションという、共和制的で共済的システムにとって代えられるということを、実践的に示した点にある。」

著者註：「物質的生産のかなた」とは「必然の領域の彼岸」とほぼ同じことを意味しています。

（7）『フランスにおける内乱』（1871年）

「もし共同組合の連合体が一つの共同計画にもとづいて全国の生産を調整し、こうしてそれを自分の統制のもとに置き、資本主義的生産の宿命である不断の無政府状態と周期的痙攣［恐慌］とをおわらせるべきものとすれば――諸君、それこそは共産主義『可能な』共産主義でなくてなんであろうか！」。

（8）『ゴータ綱領批判』（1875年）

「ここで問題にしているのは、……いまようやく資本主義社会からうまれたばかりの共産主義社会である。したがって、この共産主義社会は、あらゆる点で、経済的にも道徳的にも精神的にも、それがうまれでてきた母胎たる旧社会の母斑をまだおびている。したがって、個々の生産者は、彼が社会にあたえたのと正確に同じだけのものを――控除をおこなったうえで――かえしてもらう。彼が社会にあたえたものは、彼の個人的労働量である。……彼はこれこれの労働（共同の元本のための彼の労働分を控除したうえで）を給付したという証明書を社会からうけとり、この証明書をもって消費資料の社会的貯蔵からひとしい量の労働を要するものをひきだす。彼は自分が一つの形で社会にあたえたのと同じ労働量を別の形でかえしてもらうのである」。

「共産主義社会のより高度の段階において、すなわち個人が分業に奴隷的に従属することがなくなり、それとともに精神労働と肉体労働との対立がなくなった後、労働が単に生活のための手段たるのみならず、労働そのものが第一の生活欲求となったのち、個人の全面的な発展にともなって生産力も増大し、協同社会的富のあらゆる泉がいっそう豊かに湧き出るようになったのち――そのときはじめて、ブルジョア的権利の狭い限界をふみこえることができ、社会はその旗のうえにこう書くことができる――各人はその能力に応じて、各人はその必要におうじて！」。（『ゴータ綱領批判』国民文庫15）

この論文の中で、マルクスとしては最もまとまった形で未来社会像を描いているといえます。共産主義社会の第一段階（未成熟の段階）とより高度な段階（成熟した段階）を段階的に区分するなど、多くの点で理論的進展がみられます。殊に、共産主義社会を「生産手段の共有を土台とする」「生産協同組合」を根幹とする「協同組合的社会」と規定して、協同的社会としての組織的構成を明確化しています。

共産主義社会の第一段階では〝各人は能力に応じて働き、働きに応じて生活資料を受けとる〟ことが原則となること。更に、より高度の段階では、各人はその能力に応じて働き、各人は必要に応じて受け取ることを原則とすることになるであろうと述べています。

ついでに述べておきますと、レーニンは、マルクスのいう共産主義社会の第一段階を「社会主義社会」と呼び、より高度の段階を「共産主義社会」と呼んで区別しました。ロシア革命以降にはそのような区分と名称が一般化し、長く受け継がれてきました。

共産主義社会の「より高度な段階」においては「協同社会的富のあらゆる泉がいっそう豊かに湧き出るようにな（る）」、というように、生産の無限の発展のうえに未来社会が栄えるというように、未来を極めて楽観的に描いているようにみえます。

共産主義社会の第一段階では、まだ生産力がすべての人々が欲するだけの物資を十分に供給するまでには発達していないことと、道徳的・精神的に資本主義社会の影響から脱していないことなどから、各人は欲求にまかせて物資を取得することはできず、労働の出来高に応じた権利によって物資を取得するという規制があります。共産主義社会の高度な段階に到達してはじめて、各人はそれぞれの能力に応じて働き、労働時間の長さや労働の出来高とは関係なく、各人が必要とするものを制限されることなく取得できるようになるとしています。

共産主義社会の第一段階は可能だとしても、高度の段階を実現することが可能なのか否か疑問に思う方もおられることでしょう。ことに、人類全体が欲しいだけの富＝物資＋サーヴィスを供給することが可能なのか、かりに可能だとしても有り余る富の生産のために地球環境は破壊されるのではないかという疑問が最も大きいのではないでしょうか。

マルクスの生きた時代には、地球上になお広大な未開発の自然が残されていて、科学技術の進歩に伴う近代産業の限りない発展に期待が寄せられていました。彼もまたそのような歴史的・社会的状況の影響を免れることができず、経済成長の生態学的限界を課題にすることができなかったという論者もいます。

しかし、マルクスは一方で生産力の高度の発展が共産主義社会を実現するために絶対に必要な条件であるとしながらも、人間の豊かさとは何かということについて次のようにも述べています。

「豊かな人間というものは同時に、人間的な生活の表明の全体を欲求する人間である。いいかえれば、自分に固有な実現を内的必然性として、必要としてみずからのうちに現存せしめているような人間のことである。社会主義を前提したばあいには、人間のゆたかさのみならず、まずしさまでもが、同様に、人間的でかつ社会的な意義をになうようになる。それは受動的なきずなであって、それこそ、人間に至高のゆたかさと他の人間を欲求として感じさせる当のものなのである」。(『経済学＝哲学手稿』第三手稿　１８４４年、三浦和男訳　青木文庫)

人々が豊かさを共に享受できることは大きな喜びであるが、貧しさを共に分かち合うことができるということは、人間としての至高の豊かさなのだと述べています。

未来社会において、欲しいものを欲しいだけ手に入れることができるようになったとしても、人々は欲望にまかせて物資やサーヴィスを浪費することはないであろうという人間性に対する楽観的な見方がうかがえます。

このことについては、シモーヌ・ヴェイユ（１９０９～１９４３）による批判（『自由と社会的抑圧』１９３４年）など多数の批判がありますが、省略します。

（９）『フランスにおける内乱』第1草稿、17～５１４～５１５、１８７１年）

「コミューン――それは、国家権力が、社会を支配し圧服する力としてではなく、社会自身の生きた力として、社会によって、人民大衆自身によって再吸収されたものであり、この人民大衆は、自分たちを抑圧する組織された強力に代わって、彼ら自身の強力を形成するのである。――それは、人民大衆の抑圧者によって横領され、人民大衆の敵によって人民大衆を抑圧するために行使されてきた社会の人為的な強力（人民大衆に対立し、人民大衆を抑えるために組織された人民大衆自身の強力）にとって代わるべき、人民大衆の社会的解放の政治形態である」。

未来社会においては、一切の階級が存在しなくなり、階級対立と階級的抑圧もなくなるであろう。これに伴って、人間による人間にたいする支配の政治形態としての「国家」も消滅し、人々は社会的に解放されて、相互に自由で対等な関係の社会が形成されるであろう。と述べていると言えます。

第Ⅱ編「レーニン」

第一章　レーニン（１８７０〜１９２４）前半生の略歴

１　ウラジミール・イリイチ・レーニン（本姓ウリャノフ）は、ボルガ河畔のシンビルスクに視学官（教育の運営状況を視察・監督する役人）の子として生まれました。

レーニンの兄アレクサンドルはナロードニキで、１８８７年皇帝アレクサンドル２世暗殺未遂事件に連座して処刑されました。

ナロードニキについて簡単に述べておきますと、彼らはロシアに農村共同体を基礎として社会主義を実現することをめざして、社会変革を訴えました。そのために、大地主的専制支配とともに資本主義とも闘わねばならないと考えました。

１８７０年代に多くの青年が農村工作のために農村に入っていきましたが、工作に失敗し、80年代には国家権力との直接対決をめざす秘密組織が作られ、テロルを含む戦術をとるようになりました。アレクサンドル２世暗殺未遂事件後、ナロードニキは鎮圧され、社会革命党（エスエル）や合法派などに分化していきました。

1887年レーニンはカザン大学に入学し、法学を学んでいましたが、同年12月に学生運動に参加したことにより、逮捕・放校されました。

その後レーニンは独学で法学を学び、1891年にはペテルブルグ大学法学部の卒業試験に合格し、大学卒と弁護士の資格を獲得しました。

2 1893年レーニンはペテルブルグに居を移し、マルクス主義活動家として理論的活動と労働者への宣伝活動に従事しました。

1895年に逮捕・投獄の後シベリアへ流刑されましたが、1900年シベリアから脱出し、西欧に亡命しました。

1898年3月、ロシア国内各地のマルクス主義サークルの代表者が集まって「ロシア社会民主労働党」が結成されました。

1903年ロンドンで開かれた同党第2回大会は、党の綱領や規約を決めた実質的な結党大会でした。党の組織原則や中央機関選出などをめぐって意見の対立が大きく、レーニンら（ボリシェヴィキ）とマルトフら（メンシェヴィキ）に分裂しました。資料6「ボリシェヴィキ、メンシェヴィキ、エスエルとは」（後掲）をご参照下さい。

3 1905年以前のロシアにおける革命に関するレーニンの組織論の概略を述べます。

（1）ナロードニキがロシアにおける資本主義の発展を否定するのに対して、レーニンは、ロシアは資本主義の道を歩んでおり、将来労働者階級は革命の担い手となり得ると考えていました。

（2）しかし、労働者階級は自力では労働条件の改善をめざす労働組合的意識に到達するだけであり、社会変革を志向する革命的意識に到達するには、マルクス主義を信奉する革命家による啓蒙を必要とするという考えに立っていました。

（3）革命党の形成と党内民主主義

① ツァーリ専制政治のもとでの革命運動において、革命党に課せられた最重要課題は、官憲の弾圧に抗して、いかにして強力な党指導部を形成し維持していくかということである、とレーニンは考えました。

レーニンの前衛党組織論に関する代表的著書としては、『何をなすべきか』と『一歩前進、二歩後退』が挙げられます。

『何をなすべきか』では、組織原則について次のように述べられています。「専制の闇の中で、憲兵によるひっこぬきがひろく行われているところで、党組織の『広範な民主主義』をうんぬんすることは空虚な遊びごとでしかない」として、「党内民主主義」の原則を拒否しました。

彼が考えた唯一の組織原則は、「もっとも厳密な秘密活動、もっとも厳格な成員の選択、職業革命家の訓練」でした。当時のレーニンにとって、「絶対に必要なもの」は「革命家たちの間の完全な同志的信頼」であって、それは「民主主義以上のもの」であり、「これを民主主義的な全般的監督で代用させることは、全く問題にならない」と主張しました。

「専制国家では、職業的に革命活動に従い、政治警察と闘争する技術について職業的訓練をうけた人だけを参加させるようにして、この組織の範囲をせまくすればするほど、この組織を〈捕らえ尽くす〉ことはますます困難になる」と。

このように、レーニンの組織原則は、同志的信頼関係に基づいた少数精鋭主義と秘密主義による秘密結社でした。つまり、西欧的な大衆政党になることを拒否することでした。

ところで、レーニンの組織原則には組織論上に難問がありました。レーニンの組織原則によって形成された党と自発的に目覚めて運動に参加してくる大衆の間にいかにして有機的関係を作りだすかということでした。

②　１９０５年の第１次革命に際して、レーニンは亡命先から一時帰国し、革命を経験する中で、ボリシェヴィキが大衆運動に完全に乗り越えられてしまったことを痛感し、これまでの党組織論の見直しをせまられました。職業革命家の秘密結社としての党から大衆に開かれた党に組織原則を変革することが必要であると考えました。

１９０６年ロシア社会民主労働党第４回大会で、レーニンによって提案された「民主主義的中央集権制」（「民主集中制」とも言われる）が党の組織原則として承認されました。

これは、中央集権的な上からの指導に、党内の選挙・公開制・報告の義務・批判の自由・少数派及び反対派の権利の保障などの民主主義的要素を結合した制度でした。

資料６　「ボリシェヴィキ」、「メンシェヴィキ」、「エスエル」とは

（１）ボリシェヴィキとメンシェヴィキ

ロシア社会民主労働党は、ロシアのマルクス主義サークルを結集して、１８９８年に結成されたマルクス主義政党です。

１９０３年ロンドンで開かれた同党第２回大会で、レーニンの提起した、厳格な規律による革命家集団の前衛党という組織論とマルトフらの主張するゆるやかな規律の大衆的・民主的な党という考えが対立して、党は分裂しました。

このとき、党中央機関選出の票決で、レーニン派が多数をしめたことから、レーニン派はボリシェヴィキ（多数派の意味）、マルトフ派は少数だったのでメンシェヴィキ（少数派の意味）と呼ばれるようになりました。

ただし、その後ボリシェヴィキが常に多数を占め続け、メンシェヴィキが少数にとどまっていたわけではありません。その時々の政治情勢や党勢等の影響で優劣に変化がありました。

両者には革命論上の違いもありました。ボリシェヴィキの革命論は、ほぼレーニンの革命論と同じで、「連続的2段階革命論」と言われ、最初に労農同盟によるツァーリ専制政府を倒すブルジョア民主主義革命により民主主義共和国を樹立し、次いで早期にプロレタリア社会主義革命をめざすという内容です。

一方メンシェヴィキの革命論は「非連続的2段階革命論」といわれ、ブルジョア民主主義革命を徹底的に遂行することを当面の課題とし、資本主義とブルジョア民主主義が十分に発達してから、社会主義革命を目指すべきであるという考えでした。

従って、メンシェヴィキは、1917年2月革命やソヴィエトの形成、臨時政府には関与しましたが、10月革命には否定的立場に立ちました。

ボリシェヴィキは1917年10月革命による権力樹立後、1918年3月の第7回党大会で党名を「ロシア共産党」に変更しました。

（2）エスエル（ロシア語での略称はC．P）

ロシアの農民の党である「社会革命党」、正式には「社会主義者・革命家党」の略称。この党は革命的ナロードニキ（1860年代～1890年代に、ロシアの農民解放運動の主流をなした急進的インテリゲンチャ達）の伝統を受け継ぎ、1901年にB・チェルノフ、H・アフクセンチェフらを指導者として結成されました。

ロシアの農村共同体（ミール）を基礎として社会主義の実現をめざしました。その主な綱領は「すべての土地は農民に分配すること」で、主な活動形態は「戦闘団」によるテロ行為でした。

1917年2月革命では、メンシェヴィキとともに労兵ソヴィエトで多数派を占め、エスエル右派のケレンスキーは臨時政府の閣僚となり、更に同政府の最後の首班となりました。エスエル左派は、10月革命ではボリシェヴィキに同調し、革命直後にはボリシェヴィキ政権に参加しました。しかしその後、ボリシェヴィキとの対立が深まり、ドイツとの講和条約をめぐりボリシェヴィキ政権から離脱し、敵対的関係になりました。1922年ボリシェヴィキ政権により解散させられました。

第二章　１９０５年のロシア革命（第1次ロシア革命）

ロシアでは経済恐慌に見舞われる中、１９０４年12月日露戦争において旅順陥落が伝えられると、社会不安が高まりました。１９０５年1月9日、首都ペテルブルグで「血の日曜日」と言われる大惨事が起きました。この事件はロシアの社会全体に大きな衝撃をあたえ、さまざまな抗議行動は革命運動へと発展し、全国的な労働者のストライキ、農民の暴動、萌芽的なソヴィエトの発生などがみられました。この革命で民衆がめざしたものは、普通選挙に基づく民主的共和制、8時間労働、大土地所有者からの土地の没収などでした。民衆の行動はツァーリ専制権力に大きな打撃を与えましたが、革命は敗退し、政治的には自由主義革命の不全形として終わりました。

1　ロシアの政治・経済的状況

ロシアは、17世紀末に即位したピョートル1世（１６７２～１７２５、在位１６９４～１７２５）の時代に行われた強引な上からの近代化政策によって、ヨーロッパの列強の一つに並びました。

１８６１年にはアレクサンドル２世によって農奴解放令が出されましたが、その後も農民は半農奴的状態に置かれていました。

他の欧米列強と比較して、ロシアでは経済的には工業の発達が遅れているとともに、政治的には前近代的なツァーリ専制政治が続いていました。憲法も国会も普通選挙権もなく、言論の自由などの市民的自由がなく民主主義とは無縁な国でした。

フランスを主とした外国資本の導入により、首都ペテルブルグやモスクワなどの大都市では独占的大工場がありましたが、国全体での工業労働者の占める比率は非常に少なかったのです。

２　１９０５年の革命

（１）経済的恐慌の襲来と１９０４年12月旅順陥落という日露戦争におけるロシア軍の劣勢は社会不安をつのらせました。

「血の日曜日」

１９０５年１月９日首都ペテルブルグにおいて、司祭ガボンに率いられた、皇帝ニコライ２世に請願書を提出する民衆の列は約７万人と推定されています。

請願の内容は17項目にわたっていましたが、主なものを挙げてみます。まずロシア人は人間としての権利を何一つ認められていないことを述べ、当面の最重要課題として普通・秘密・平等の選挙による憲法制定会議の招集をあげています。更に言論の自由、法のもとでの万人の平等、無償普通教育の普及、労働組合の自由、8時間労働日などです。

この請願の列が冬宮広場に着き、皇帝が現れるのを待ちましたが約束の午後2時に皇帝は現れず、警備に当たっていた軍隊が行進参加者と見物人に向かって無差別的に発砲を行い、約1000人の死傷者が出ました。

(2) この「血の日曜日」事件はロシア社会全体に大きな衝撃を与え、それまでロシア民衆思想の中にあった皇帝ツァーリ信仰が大きくゆらぎ、ツァーリ専制打倒のスローガンが掲げられたのでした。

この事件に抗議する労働者のストライキが全国主要都市で波状的におこりました。1月だけで、44万人余がストライキに参加したといわれ、この数字は過去10年間の平均的年間スト参加者の10倍に相当するといわれます。反政府運動には資本家の一部も加わり、ことにモスクワの資本家の若い世代が多く加わりました。

2月18日ツァーリは勅書を出し、「国家ドゥーマ」(国会の下院)を設立するための特別審議会を設ける予定であると告げました。

10月7日から16日にかけて全ロシア鉄道同盟（労働組合）がストライキに入り、これを中軸に印刷工、電信・電話・郵便・都市交通の労働者もストに加わり、巨大なゼネストに発展しました。全露鉄道同盟はその年の4月に結成されましたが、それに大きな力を貸したのはエスエル（社会革命党）でした。

10月17日再び勅書が出され、普通選挙に基づく立法的議会（国家ドゥーマ）の設立と一定の市民的自由（人身の不可侵性、良心・言論の自由）の実現を約束しました。この勅書を自由主義者のみならず一般民衆も大歓迎しました。しかし、この勅書を契機に革命運動は退潮に向かいました。

革命運動の退潮を押しとどめようと、12月7～19日モスクワ・ソヴィエトはゼネストから武装蜂起に立ちあがりましたが、全国の運動はこの蜂起に呼応せず、多くの死者を出して鎮圧されました。この革命では農民運動の高揚がみられたことも注目すべきことでした。１９０５年1年で、全国で2万6千件の農民運動がみられました。7～8月に第1回、11月に第2回の「全ロシア農民同盟大会」が開かれ、第2回大会では、農民による地主からの土地奪取は自明のこととされ、それを実現する方法が課題となりました。

12月11日に公布された「選挙法」では国会議員の選挙には普通選挙は採用されず、多段階選挙法が取り入れられました。翌1906年4月に出された「国家基本法」（憲法）でツァーリの特権の多くが維持されることになりました。「10月17日勅書」の約束の多くがにされ、人民は欺かれたのです。

3　1905年の革命の総括

（1）ロシアの民衆がこの革命でめざした目標は、普通選挙に基づく民主的共和制、8時間労働、大土地所有者からの土地の没収などでした。

レーニンは「労農民主独裁」政権を樹立する方針を提起しました。（後述）都市を中心とした労働者のストライキ、農民の暴動、萌芽的なソヴィエトの形成、モスクワでの武装蜂起等々の大衆的反乱によってツァーリ専制権力に大きな打撃を与えました。

（2）しかし、政治的には、この革命は人民的革命の敗退により、自由主義革命の不全形としてやっと遂行されたという結果にとどまりました。

普通選挙法は採用されず、多段階選挙法という矮小化された選挙法になりましたが、民衆の投票を伴う国会の開設、憲法の制定という立憲制的変革（憲法に基づく政治）と一定の市民的自由がかちとられました。

「10月詔書」を契機として労働組合の結成や言論の自由が許されることになりましたが、一方で権力による様々な弾圧は止みませんでした。

（3）『1906年憲法体制』は、立憲専制とでもいうべき体制であった。かなりの制限選挙によって選ばれる下院のドゥーマと、勅任議員と団体選出代表議員からなる国家評議会（上院）が専制君主たる皇帝と協力して立法権を行使していた。このシステムは改革を要するロシアにとって迅速な問題の解決を与えず、行き詰まりの様相を呈していた」（和田春樹等著『世界歴史大系　ロシア史3』　P4山川出版社）

1906年4月国家基本法（憲法）が公布され、国会が開催されました。

7月に就任したストルイピン首相は専制権力を尊重する君主主義者で、強国としてのロシアの存在の確保のための改革を推進しようとしました。

彼は農業政策を最も重視しました。1905年の革命時に激烈な農民運動の拠点となった農村共同体を解体し、土地の私有制に基づく独立自営農民を創出することにより農業の生産性を高めるとともにツァーリズムを支える支柱とすることができるという考えに基づくものでした。それは同時に古い半農奴制的な専制君主制が解体され、ブルジョア的君主制に転化していく過程でもありました。

しかし、ロシアの農民にとっては、生活の細部にわたり律してきた農村共同体から離脱することは、到底考えられないことでした。政府の政策にもかかわらず、共同体から離脱した農民は農家戸数の22％、農地面積として農村共同体分与地の14％にとどまったとされています。

資料7　ソヴィエトとは

旧「ソ連」或いは「ソヴィエト連邦」の正式名称は「ソヴィエト社会主義共和国連邦」ですが、「ソヴィエト」とはどのような意味でしょうか。

本来「ソヴィエト」とは、ロシア語で「会議」または「評議会」を意味します。旧ソ連では、国家組織の基礎をなす各級の人民代表機関を指しました。つまり、ソヴィエト連邦とは、「ソヴィエト」(評議会)を基礎とする国家の連邦であるということになります。

歴史的には、１９０５年のロシア革命に際して、革命に立ちあがった民衆の創意によって、各地に革命を指導する役割をはたす機関として労働者代表ソヴィエトが生まれました。

１９１７年に2月革命が起きると、１９０５年の歴史的経験に基づいて、ソヴィエトが各地で「労働者・兵士代表ソヴィエト」として復活しました。

一方2月革命ではドゥーマ（国会下院）をもとに臨時政府が生まれましたが、革命の進行の中で、ボリシェヴィキに指導され、ソヴィエトに結集した都市部の労働者・兵士の力による「10月革命」によって倒され、新たな革命政権が樹立されました。

「労働者・兵士・農民代表ソヴィエト」が「プロレタリアート独裁」の政権にふさわしい組織形態であるとみなされ、10月革命後に「労働者・兵士ソヴィエト」と「農民代表ソヴィエト」が合同し、以後ソ連邦の基本的な政治形態となりました。

旧ソ連の行政区画は大きい方から順に、ソ連邦、連邦構成共和国（15カ国）、自治共和国（19カ国）、地方、自治州、民族管区、地区、市、村に区分されており、この区域ごとにそれぞれの区域の最高機関であるソヴィエトが設けられていました。

1917年11月憲法制定会議の議員選挙が普通選挙（但し成人男性のみ）として行われましたが、1918年1月にボリシェヴィキによって憲法制定会議が解散させられた後は議会制民主主義の道は閉ざされました。

ソヴィエト型民主主義は欧米の議会制民主主義よりもはるかに民主的であると喧伝されました。しかし共産党一党独裁と共産党と国家機関の癒着が進み〔第Ⅱ編第十四章「ノーメンクラトゥーラ」〔後掲〕

を参照)、ソヴィエトは共産党の支配下に置かれるようになり、ソヴィエト民主主義は形骸化しました。

第三章　第１次世界大戦と１９１７年のロシア革命

第１次世界大戦はそれ以前の戦争と違い、参戦国は「総力戦」として闘いました。ロシアでは戦争が長引く中で、経済の衰退や政治の混乱が深まり、民衆の生活は疲弊状態に陥りました。このような中から、民衆は闘いに立ちあがり、３００年続いたロマノフ朝の圧政を倒したのです。

１　大戦の発端はサラエボ事件

１９１４年6月ボスニアの州都サラエボで、オーストリアの皇位継承者夫妻がセルビア人青年に暗殺されるという事件が起きました。

この事件の背景として、まずバルカン半島は多数の民族と宗教が複雑に入り組んだ地域であることです。その地域を支配していたオスマン帝国（トルコ）の衰退にともなって民族主義運動が高まっていました。更に、この地域への進出を狙っていたロシアとオーストリアが激しく対立していました。このような背景の中で、１９０８年オーストリアがボスニア・ヘルツェゴヴィナの併合を強行したことがセルビア人の民族主義者を刺激したものと考えられています。
オーストリア＝ハンガリー帝国がドイツの力を背景としてセルビアに宣戦布告すると、セルビアの後ろ盾のロシアが兵力を動員してこれに対抗しました。

7月、ドイツとロシア間で戦争が始まると、直ちにフランスとイギリスがロシア側に立って参戦し、ヨーロッパ全体が戦争に巻き込まれていきました。その後アメリカ、日本も参戦し、合計36カ国が2大陣営に別れて戦い、世界戦争に発展しました。

この戦争において、ロシアは戦争を引き起した当事者の一人でした。黒海への進出をはかるため、オーストリア＝ハンガリー帝国を相手にして、バルカン半島で危険な駆け引きに臨み、オスマン帝国との長年の関係に決着をつけることを目論んでいました。

連合国との秘密協定では、ロシアは地中海への出口であるイスタンブール、ボスフォラス海峡、ダーダネルス海峡を獲得し、東部アナトリア（トルコ領）を勢力圏におさめることになっていました。

2　第1次大戦は最初の世界「帝国主義戦争」

スイスに亡命していたレーニンは世界戦争の原因の解明に努め、『帝国主義論』（1916年に完成、翌年出版）を著しました。帝国主義とは、資本主義の最高の発展段階をなすものであり、世界的独占資本主義であるとともに死滅しつつある資本主義であると定義しました。

そして、この戦争を帝国主義列強による世界の支配圏の再分割を目的とした争いであるととらえました。

世界大戦の原因は資本主義の不均等発展によるもので、ことに急速に発展した後発帝国主義国ドイツがイギリス帝国主義の支配下の市場と植民地を軍事力をもって奪い取ろう（再分割しよう）としたことにあることを明らかにしました。

第１次世界大戦はそれまでの戦争と異なり、「総力戦」として戦われました。交戦国の戦争遂行能力は単に軍事力のみでなく、その国の政治・経済・科学・文化等々の力を総合した能力として発揮されたのでした。

このことから、世界戦争をなくすには、その基になっている帝国主義＝資本主義を粉砕せねばならないと考えました。

3「帝国主義戦争を内乱に転化せよ」（レーニン）

大戦が始まる前には、各国の社会主義者は、社会主義インターナショナルの力で戦争に反対すると誓っていました。しかし開戦とともに、ドイツ社会民主党をはじめとするヨーロッパの社会主義政党のほとんどは自国の対外的戦争政策を「愛国」、「祖国防衛」の立場から支持し、挙国一致の潮流のなかに引きこまれてゆきました。

レーニンはこのような戦争支持の立場を「社会排外主義」と非難しました。労働者階級は愛国主義によって互いに敵対するのではなく、国境を越えて団結しなければならないこと。それぞれの自国の資本家政府の戦争政策に対して断固反対し、帝国主義間の戦争を自国の政府を打倒する内乱に転化せよと訴えました。

4　戦争がもたらしたロシア社会への影響

１９１４年７月開戦時のロシア軍は現役兵１４２万８０００人でしたが、８月には総動員により新たに３９１万５０００人が召集され、動員数は５３４万３０００人となりました。

１９１４年９月には早くも兵員の輸送と砲弾の補給が困難となりました。12月には兵士の冬用の衣服や長靴がなく、感冒にかかったり、足に凍傷ができたりして、兵士の士気は低下しました。

１９１５年５月、戦線は総崩れとなり大退却が開始されました。しかし兵士の動員は更に続き、兵員の総数は１９１５年９月には１０１６万８０００人、１９１６年11月には１４２９万３０００人に達しました。

一方、１９１６年11月までの人的損失を見てみますと、戦死者53万１６２０人、毒ガス中毒２万８４０２人、負傷２２９万８７７２人、捕虜・行方不明２５１万２０３人で、損失の総計は５３７万８２７人でした。（『世界歴史大系　ロシア史　３』山川出版社　ｐ22～23　和田春樹等より引用）

この動員は国民経済に甚大な影響を及ぼしました。労働力不足は鉱業・農業で顕著でしたが、殊に鉄鋼業で深刻でした。穀物については、輸出がなくなったので貯蔵は不足していませんでしたが、輸送危機のため都市部で食糧危機が発生しました。

１９１６年になると、前線の兵士は厭戦気分をつのらせ、攻撃命令を拒否したり、脱走がみられるようになりました。中央アジアでは、軍事施設の建設や軍事鉄道工事などへの勤労動員に対して、ウズベキスタンで大規模な反乱が、キルギスで大規模な中国への逃亡が起こりました。

このように、長引く戦争、生産と輸送の衰退、政治の混乱などにより社会は崩壊の危機にさらされました。

帝国主義の連鎖の最も弱い環の一つであるロシアで革命が起こらんとしていました。

第四章　１９０５年の革命〜１９１７年２月革命
レーニン２段階革命論の矛盾

レーニン（ボリシェヴィキ）は、１９０５年の革命を経て１９１７年２月革命の直前にいたるまで、後進資本主義国ロシアにおける革命の展望として、「連続的２段階革命論」の立場にたっていました。その革命論によれば、最初にツァーリ専制政府を倒し、ブルジョア共和国を実現する民主主義革命を達成し、次いで早期に社会主義革命をめざすというものでした。

一方メンシェヴィキの革命論は、最初に専制政府を倒して民主共和国を実現するところまでは同じですが、民主主義革命を徹底的に遂行することを当面の課題とし、資本主義経済とブルジョア民主主義が十分に発達してから、次の社会主義革命を目指すという違いがあります。「急がばまわれ」という諺が示唆するように、その後の歴史をみると。後者の革命論の方が正解だったように思えます。

1　ロシアの社会情勢についてのレーニンの分析

ロシアは後進国ながら上からの強力な近代化政策により急速に資本主義が発達しつつあり、帝国主義国家群の一角を占めている。独占資本は広範な前資本主義的社会諸制度を温存し、新興の金融資本家グループと旧来からの大土地所有者階級は専制的なツァーリ政権に庇護されている。そして、これらが非常に緊密に同盟して支配階級を形成している。

なかでも専制権力（絶対主義的君主制）が資本主義経済の全面的展開とブルジョア民主主義の発展を阻んでいる。このことから、ロシアの民衆にとって当面する革命は、専制政治と農奴制の残存物を一掃して、資本主義の完全で徹底した発展に対する障害物を取り除くための「ブルジョア民主主義革命」であるとしました。

１９０５年に革命が勃発すると、亡命中のレーニンは帰国し、革命の経緯を観察することによって、『民主主義革命における社会民主党の二つの戦術』を著しました。

その中で、当面目指すべき革命はツァーリ専制政権を倒し、民主主義的共和国を樹立するブルジョア革命であるとし、その革命を「プロレタリアートと農民の革命的民主主義的独裁」と定式化しました。

レーニンはまず、ロシアでは社会主義革命が成立する客観的条件が欠けていることを指摘しました。

レーニンの定義では、ロシアにおけるブルジョア革命とは、資本主義的な経済＝社会体制及び資本主義的な政治＝国家体制の枠を出ない範囲の革命であり、その変革は、旧時代の遺物を一掃して、資本主義と民主主義を全面的に発展させ、ブルジョア階級の本格的な経済的、政治的支配を可能にすることを意味しました。

ところが、ロシアではブルジョア革命はブルジョア階級自身の力によっては達成できないとレーニンは判断していました。

なぜなら、前述したように、ロシアではツァーリ専制権力を軸とした農奴制的諸関係が資本主義の全面的発展を妨げているとともに、資本家階級はツァーリ権力や古い制度に依存し、これを利用しているために、決定的な革命的勢力となりえないとみなされていました。

このような状況から、ロシアにおけるブルジョア革命は労働者階級と農民の同盟によって推進され、ツァーリ専制権力打倒の決定的勝利は「労働者階級と農民階級の革命的民主主義的独裁」として達成されるとしています。

しかし労働者階級にとってブルジョア革命の推進は「過渡的で一時的な任務」にとどまるとしています。なぜなら、資本主義経済とブルジョア民主主義を発展させる主役は資本家階級だからです。資本主義と民主主義が全面的に発展した暁には、労働者階級はブルジョア国家を打倒して社会主義革命に向かって進むであろうと述べています。

2　レーニンがブルジョア民主主義革命を重視した理由

近代欧米の歴史がこれまでたどってきた道をロシアも必ず通らなければならない。ブルジョア民主主義は社会主義への途上において決して飛び越えることのできない段階である。従って民主主義的変革なしには社会主義に近づけないということを強調しました。

「われわれは、社会主義的変革を延期しているのではなく、唯一の可能な方法によって、唯一の正しい道を通って、すなわち民主的共和制という道を通って、社会主義的変革の第一歩を踏み出すのである。政治的民主主義の道を通らずに別の道を通って社会主義に進もうとするものは、必ず、経済的な意味でも、政治的な意味でも、愚劣で反動的な結論に達するのである」。(『民主主義革命における社会民主党の二つの戦術』)

このように、レーニンは、労働者階級が社会主義的変革に進むためには、ブルジョア民主主義を経験することが必要不可欠であることを、くりかえし力説していました。しかし、労働者階級がブルジョア民主主義を経験することが何故不可欠なのかという理由をほとんど延べていないのです。

その後のロシア革命の経過を見ると、ブルジョア民主主義を経験することを必要不可欠としたのは、誰よりもレーニン自身だったと言えます。

前述のように、ブルジョア革命により民主共和制を樹立し、資本主義経済と民主主義を全面的に発展させ、ブルジョア階級の経済的・政治的支配を可能にすると述べていますが、それを実現する革命勢力はブルジョアジーを主体とするものではなく、革命権力は「労働者階級と農民の革命的民主主義的独裁」であるとしています。

3　「革命的民主主義的独裁」とはどのような政治権力を意味しているのか

現代人にとっては、一般に「民主主義」と「独裁」、「民主主義」と「専制」とは相反する概念であるとみなされていると言えます。従って、「民主主義的独裁」という語は一種の形容矛盾として受け止められると思われます。

レーニンはこのことについて、前記論文では明確な定義を行っていませんが、彼が著した他の論文や資料からレーニンの考えを読み取ることができます。
（1）1903年ロシア社会民主労働党第2回大会のためのレーニンによる綱領草案の中で「人民の専制、すなわち国家権力全体を人民代表からなる立法議会の手に集中すること、……」。
（2）1907年2月社会民主労働党第5回大会のための決議草案では「民主主義革命を最後まで遂行すること、……すなわち、民主的共和制、人民の完全なる専制」。
（3）1918年11月、すでに権力を掌握してから1年が経過した時点で書かれた『プロレタリア革命と背教者カウツキー』という論文には敵対的な階級対立のある状況における民主主義とはどのようなことを意味するのかが述べられています。

「多数者である被搾取階級を支配する搾取者がいる限り、民主主義もまた不可避的に搾取者のための民主主義となるであろう。被搾取者の国家は、このような国家とは根本的に違ったものでなければならず、それは被搾取者のための民主主義でなければならないし、搾取者を圧迫することでなければならないのであるが、一階級を圧迫するということは、この階級に平等をあたえないことを意味し、その階級を『民主主義』から除外することを意味する」。

ここで被搾取階級とは労働者階級を、搾取者とは資本家階級を意味しています。

以上のレーニンの論文から、レーニンにとっては「革命的民主主義的独裁」とは二つの顔を持った革命期の権力を意味していると言えます。その権力は労働者階級と農民に関しては民主的ですが、大土地所有者などの旧支配勢力に対しては抑圧的で、政治から排除を行う独裁的権力ということになり、「民主主義的独裁」は矛盾した概念ではないということになります。

資本家階級はブルジョア民主革命において革命勢力となりえないとされていますが、労働者階級と農民の同盟による革命が成功して民主共和制が生まれた暁には、革命政権と資本家階級はどのような関係になるのでしょうか？

革命の主要な目的として、資本家階級の活躍により資本主義経済とブルジョア民主主義を全面的に発展させることがあったはずですから、資本家階級と革命政権は友好的関係になければなりません。

しかし、はたして資本家階級自身が革命政権の一翼を担うこともせず、労働者階級と農民の独裁政権のもとで、資本主義経済と市民的自由・ブルジョア民主主義を全面的に展開することが可能でしょうか。労農民主独裁政権樹立後、労農階級はしばらく政治の主導権を資本家階級に渡して、政治の表舞台から身を引くのでしょうか？

かりに独裁政権が、資本主義の発展のために全面的支援を惜しまないとしても、それほど遠くない将来、資本主義が十分に発展し、社会主義革命の期が熟したとみなされた時には、努力の成果が奪われていくことが分かっているとしたら、資本家階級は資本主義発展のために意欲的にとりくむでしょうか？これも大きな疑問です。

労働者階級を資本家階級より先回りさせて歴史の牽引役を果たさせようとしているようです。かりに資本家階級が経済及び政治の主導権を握ることになるとすれば、レーニンの「ブルジョア民主主義」＝「ブルジョア独裁」という論理によれば、労働者階級と農民階級は政治から排除されることになります。

レーニンの「二段階革命論」は後進資本主義国ロシアの社会情勢を背景として生み出された「苦肉の策」であると思われ、余りにも大きな矛盾を含んでいて納得ができません。レーニンの「2段階革命論」は一種の「歴史的発展段階の飛び越え論」といえます。この矛盾は後に10月革命でレーニンによって打ち出された、労働者階級の革命政権のもとで、「国家独占資本主義」という経済政策を遂行するという政策と相通ずるものがあるといえます。

第五章　１９１７年２月革命は女性たちの叫びで始まった

２月革命によって、３００年続いたロマノフ王朝の専制政権は崩壊しました。この革命では、首都の労働者・兵士の革命的行動が先行しましたが、ブルジョア市民の革命的行動も大きな役割をはたしました。

専制政権が打倒されたことによって、農民による土地革命が急速に広がりました。

３月３日成立した臨時政府の方針により、言論の自由をはじめとする市民的自由の権利が確保され、憲法制定会議の準備などの方針が告げられると、市民運動が急速に広がりました。ロシア社会が初めて経験するブルジョア民主主義の空間の出現です。

１　１９１７年２月革命は女性労働者の「パンよこせ」ストライキからはじまった

（１）２月23日は国際婦人デーでした。この日首都ペテログラード（現サンクトペテルブルク）のヴィボルグ地区の繊維工場の女工達が「パンよこせ！」と叫んでストライキに入りました。ストは広がり、男性労働者も加わり、市の中心部に向かってデモ行進がくり出されました。約９万人の労働者が街頭に出たとされています。ストライキは翌24日から他の地区にも波及し、「戦争やめろ」、「専制打倒」のスローガンも現れました。

25日、ストはペテログラード全市に広がりました。革命の始まりです。翌日、皇帝は騒擾を鎮圧するよう命じました。軍隊はデモ隊を容赦なく銃撃し、多数の死傷者が出ました。皇帝は国会を休会させ、戒厳令を命じました。

27日、前日デモ隊に発砲した連隊の兵士が民衆弾圧を嫌悪して反乱を起こすとともに、他の連隊にも反乱を呼びかけました。反乱軍の兵士は近衛連隊を含め急速に膨れ上がり、およそ２万５０００人になりました。

(2) 26日朝ドゥーマ（国会・下院）は休会命令を受けて、主流派の議員はこの命令に従いました。ケレンスキーらの左派は、非公式会議でドゥーマが革命の先頭に立ち、ソヴィエトを指導すべきであると主張しましたが、受け入れられませんでした。

秩序の回復・諸機関との交渉など不明確な役割を目的とした「ドゥーマ臨時委員会」が設置されました。この委員会が権力掌握を決断したのは28日未明のことでした。全国家権力がドゥーマ臨時委員会に移ったことが宣言されました。

「ドゥーマ臨時委員会は目立った活動はおこなわなかったというのが、長年の見方であった。だが、ロシアの歴史家ニコラーエフが明らかにしたように、実際には、態度を決めていない部隊の説得、秩序の維持、食糧の確保など、それは様々な分野で革命を推進していた。……ドゥーマ臨時委員会はまた、行政を掌握するために、議員たちをコミッサール（委員）として省庁に派遣した。特にめぼしいはたらきをしたのが、鉄道省に派遣されたブブリコフ（進歩党）である。……彼は鉄道電信網を使って、革命の報を全国に広めた。前線への輸送も乱さなかった」。革命鎮圧のため「ペトログラードに差し向けられたイヴァノフ将軍の部隊はブブリコフの停止命令をうけて立ち往生した」。（池田嘉郎『ロシア革命』岩波新書）

（3）労働者と反乱を起こした兵士に何をすべきかについて方向を与えるのに決定的な役割をはたしたのは、労働者グループ代表やメンシェヴィキ議員のチヘイゼらがソヴィエト臨時執行委員会の名前で配ったビラでした。このビラは「労働者1000人に1人、軍隊は中隊ごとに1人の代表を選んで、午後7時に国会の建物（タヴリーダ宮）で開かれる第1回会合に派遣せよ」という内容でした。ボリシェヴィキはこの動きに遅れをとりました。

ソヴィエト創立総会ではチヘイゼが議長に選ばれました。ソヴィエトへの代表選出の呼びかけに対して工場労働者や交通労働者などが代表を送りましたが、決定的に重要だったことは兵士の代表の参加でした。

3月1日のソヴィエト総会で、兵士は労兵ソヴィエトに組織されました。こうして兵士がソヴィエトに最終的に忠誠を誓ったことにより、官僚と将校の忠誠を確保したドゥーマ（国会・下院）臨時委員会とソヴィエトの間に二重権力状態が生まれたのです。

（4）3月1日夜、首都ではソヴィエト執行委員会とドゥーマ臨時委員会の間で臨時政府樹立に関する話し合いが行われました。ドゥーマ臨時委員会はこの重要な作業を進めるに当たってソヴィエトの意向を無視することはできませんでした。ソヴィエトは労働者の圧倒的な支持を受けており、更に軍隊の中で兵士の支持を急速に拡大しつつあったからです。新しいロシアの政治体制に関して、ドゥーマ臨時委員会側は立憲君主制を想定していましたが、ソヴィエト側は、即時に王制を廃止して民主共和国を樹立することを主張していました。ソヴィエト側の大勢は権力を取る意欲はなく、臨時委員会側の主導権で権力がつくられることを当然のことと考えていました。

ペトログラード・ソヴィエトは臨時政府の設立を条件付きで承認しました。これによりドゥーマ臨時委員会は臨時政府を立ち上げることになったのです。

ここでソヴィエトによる条件付きとは。ロシアではまさにこれから民主化が着手されようとしている段階であり、ソヴィエトを構成しているメンバーが入閣しても社会主義的な政策を実行することは不可能である。従って、ソヴィエトの役割はあくまで臨時政府の外側から臨時政府を監督し、それが反革命と闘う限りにおいて支持するという立場に立っていました。ペトログラード・ソヴィエトの多数派を成すメンシェヴィキは、ブルジョア民主主義革命を十分に推し進め、資本主義の発展と生産力の増強を待って、次の社会主義革命に進むという「非連続的2段革命論」の立場に立っていました。

また多数派の一派エスエル（社会革命党）は農村共同体を基礎として社会主義社会を実現しようとする革命論を持っていました。従って、この時点では、いずれも国家権力を取る意志はなかったのです。ボリシェヴィキは少数派で、かつ、この時点では権力獲得の意欲に欠けていました。

（5）3月2日、ペトログラード・ソヴィエト総会は臨時政府の条件付き承認を決めました。これを担保としてドゥーマ臨時委員会は臨時政府を立ち上げました。

首相ゲ・リヴォフ侯爵（自由主義者右派）、外相ミリューコフ（立憲民主党）、陸海軍相グチコフ（オクチャブリスト）、商工省コノヴァーロフ（立憲民主党）は伝統的自由主義者でしたが、蔵相チェレシチェンコ、運輸相ネクラーソフ、司法相ケレンスキーは左翼連合派フリーメーソンのメンバーでした。従って臨時政府は伝統的自由主義者と左翼連合派の連立という性格をもっていました。（和田春樹等編『世界歴史大系　ロシア史3』山川出版社を参照した。）

（6）3月2日未明、皇帝の意見がドゥーマ議長ロジャンコ（立憲民主党）に伝えられましたが、ロジャンコは「責任内閣」（議会に責任を負う内閣）を設けることによっては事態を収拾することはできないとして、皇帝の退位が必要であると主張しました。

皇帝は血友病を持つ12歳の皇太子の即位は無理と判断して、皇帝の弟ミハイルに譲位する意向を示しました。しかしミハイルは帝位につくことを固辞しました。ここに３００年続いたロマノフ王朝は幕を閉じたのです。

（7）「2月革命の全経過をふりかえると、首都の労働者・兵士の革命が先行したが、ドゥーマに反映したブルジョア市民の革命は皇帝と軍部の反革命を押さえこむ役割をはたした。したがって、２月革命は首都における労働者・兵士の革命とブルジョア市民の革命の結合で勝利したと言えるのである」（和田春樹『世界歴史大系・ロシア史３』Ｐ36　山川出版社）

２月革命によりロマノフ専制政権が打倒されたことによって、農民による土地革命は急速に進展しました。この農民革命と都市の労兵ソヴィエトの革命運動はそれぞれ自立的で、その結び付きはゆるいものでしたが、農民革命の支えによって10月革命が可能になったのです。

もしも農民の多くが地主やブルジョアジーにより白軍として組織されるようなことになっていたならば、10月革命政権の樹立が不可能であったか、樹立されてもその寿命は短命であったであろうと推察されます。

（8）「3月3日臨時政府の成立が声明された。新政府の活動の原則としては、次の8点がかかげられた。
①あらゆる政治的・宗教的な性格の事件で有罪とされたものの大赦。
②言論・出版・集会の自由、団結権とストライキ権の保障。軍人にも政治的自由をおよぼすこと。
③身分、信教、民族による差別の撤廃。
④普通直接選挙による憲法制定会議招集のすみやかな準備。
⑤旧警察を廃し、地方自治体に責任をとる民警を設置すること。
⑥普通直接選挙による地方自治体選挙
⑦革命に参加した部隊を武装解除せず、首都から移動させないこと。
⑧兵士は勤務外では市民と同じ権利をもつこと。……
この自由の空間のなかで、あらゆる市民運動、住民運動がはじまり、社会団体がつぎつぎに生まれた。3月19日には憲法会議選挙での婦人選挙権を要求する婦人同権連盟のデモが行われた。デモの先頭にはナロードニキ運動のベテラン、ヴェーラ・フィグネルの姿があった。

3月23日には革命犠牲者の葬送行進が行われた。169人の死者は練兵場、マルス原に埋葬されることになった。そこをめがけて首都の全区から巨大な人びとの葬列が進んだ、その先頭にも老革命家の姿があった。この日の整然たる行進は革命の力を示したものであった」（和田春樹　等編著『ロシア

史』3 P36）

2　2月革命から10月革命へ　レーニンの社会主義への展望

4月3日帰国したレーニンが翌4日に、いわゆる「4月テーゼ」(「現在の革命におけるプロレタリアートの任務について」）を発表すると、ほとんどのボリシェヴィキ党員はあまりの奇想天外の考えに唖然としました。このことについては、第Ⅱ編第六章「1917年10月のロシア革命とはどのような革命だったのか」（後掲）をご参照下さい。

7月事件で潜伏中のレーニンは臨時政府を打倒する武装蜂起をボリシェヴィキが決行し、権力を掌握すべきことを党中央に提案するにいたりました。

彼は、もしボリシェヴィキが権力を取った場合には、権力を維持できると考えていました。その根拠は9月初めに書いた「せまりくる破局、それとどう闘うか」(『レーニン10巻選集』第7巻　p270〜306）の中で示されていました。

レーニンは革命権力がドイツにならって「戦時統制経済」を実施すれば、直ちに社会主義制度を導入することはできないにしても、社会主義に向かって前進することができると確信していました。

既に1916年12月に彼は次のように書いていました。「戦争そのものが、諸国民の力を前代未聞に緊張させ、国家資本主義の道を大幅に前進することをよぎなくさせ、資本家のためでなく、逆に資本家を収奪することによって、大衆のために……革命的プロレタリアートの指導のもとで、計画性のある社会的経済をどう営むべきか……を実践のうえでしめして、袋小路からぬけだすこの唯一つの活路へ人類を導いているのである」。(「帝国主義と社会主義の分裂」『レーニン全集』23巻)

「今日の社会が社会主義へ移行するのにどの程度成熟しているかは、国民の力をふりしぼるために5千万以上の人間の全経済生活を一つの中心から規制するような状態にうつることをよぎなくさせた、ほかならぬ戦争がこれを証明したのである」。(1917年1月、『レーニン全集』第23巻)

しかし、ボリシェヴィキの党幹部で理論家のブハーリンにとっては「社会主義とは社会によって指導される調整された生産なのであって、国家によって指導されるものではない」(ブハーリン『帝国主義国家の理論によせて』、和田春樹『歴史としての社会主義』より引用)と、レーニンの構想に対して嫌悪感を示しました。

1917年9月、まさに10月革命前夜に次のように述べました。「社会主義とは、全人民の利益をめざすようになった、そしてその限りで資本主義的独占でなくなった、国家資本主義的独占にほかならないのである」。(「迫りくる破局、それとどうたたかうか」『レーニン全集』第24巻)

「レーニンのこの決断がロシア革命の中で労働者、兵士の運動と結合することよって、社会主義の歴史における決定的な転換が生じることになるのです」。（和田春樹『歴史としての社会主義』）レーニンの文章の中にはしばしば古いロシアのことわざが引用されています。その一つに次のようなことわざがあります。「地獄への道は善意で敷き詰められている」。レーニンの決断は人類史の壮大な実験の開始でありましたが、それとともに大いなる悲劇の始まりでもありました。

私たちは問わなければなりません。いったい誰のための革命なのか、何のための革命なのかと。

レーニンの関心は、社会主義社会を準備するために、いかにして社会的生産力を発展させるかということに向いてしまい、人々が、労働者や農民がいかに働くのかという生産の現場における労働のあり方について関心がおろそかにされていたと考えられます。いわば、近代的な生産力主義に陥っていたと言えると思われます。

第六章　１９１７年10月のロシア革命とはどのような革命だったのか

従来の歴史書の通説によれば、１９１７年の２月革命はブルジョア革命であり、同年10月の革命は史上初の労働者国家を樹立したプロレタリア革命、或いは社会主義革命であった、とされています。しかし、10月革命の実態を見てみますと、ボリシェヴィキに指導された都市部における労働者階級及び兵士大衆の革命と、これから自立した農村における農民階級の土地革命の二つがゆるやかに結合した革命であったと考えられます。

「１９１３年ロシアの人口は１億６９００万人であったが、１９１７年の工業労働者はせいぜい３４０万人、つまり２％でしかなかった。しかも戦時中の『労働者』は実態的には女性と子供であった。首都ペテログラード（現サンクトペテルブルグ）の労働者ですら、都市出身者はせいぜい２割、残りは農民であった」。（下斗米伸夫著『ソ連＝党が所有した国家』講談社選書メチエ）

また、国全体での都市人口は約15％、農村人口85％で、農民が圧倒的多数をしめる農業国でした。教育の普及が悪く、1910～1913年の識字率は推定で28・4％とされています。

1 レーニンの「4月テーゼ」

1917年4月3日レーニンは亡命先のスイスから帰国すると、翌4日、初めはボリシェヴィキの集会で、次いで、ボリシェヴィキとメンシェヴィキの合同集会で、いわゆる「4月テーゼ」（「現在の革命におけるプロレタリアートの任務について」）といわれる10項目の方針を報告しました。4月テーゼを聴いた圧倒的多数の人々は、あまりにも飛躍し過ぎた内容に唖然としたと言われています。

その後、この報告は4月下旬に開かれたロシア社会民主労働党（ボリシェヴィキ派）第7回全国協議会で採択されました。

4月テーゼの詳しい内容は省略しますが、主な事項に触れますと、

①臨時政府を一切支持してはならない。

②労働者代表ソヴィエトは革命政府のただ一つの可能な形態である。

③新たなロシアの国家形態としては議会制共和国ではなく、全国にわたる上から下まで労働者・雇農・

農民代表ソヴィエト共和国。
④警察・軍隊・官僚を廃止。常備軍に代わって全人民を武装させる。官吏はすべて選挙制により選ばれ、いつでも解任できる。その俸給は熟練労働者の平均賃金を超えないようにする。
⑤国内のすべての土地を国有化し、土地の処分を地元の雇農・農民代表ソヴィエトに委ねること。
⑥国内の全ての銀行をただちに単一の全国銀行に統合し、それに対する労働者代表ソヴィエトの統制を実施すること。
⑦われわれの当面の任務は、社会主義を「導入する」ことではなく、たんに社会的生産と生産物の分配にたいする労働者代表の統制にいますぐ移ることである。
この「4月テーゼ」はそれまでのレーニンの革命論であった「2段階革命論」とは一線を画する内容でした。

レーニンは、2月革命で基本的に権力はツァーリの専制政権から資本家階級の手に移り、その限りではブルジョア革命は終了したとみなしました。(「戦術に関する手紙」1917年4月8日~13日執筆。全集第24巻25~38p)。従って、レーニンにとっての目標はブルジョア民主主義革命ではなく、社会主義革命に変わったということになります。

2月革命によって生み出された臨時政府は資本家階級とブルジョア的地主の政府であり、臨時政府と労働者・兵士ソヴィエトが拮抗する二重権力の政治状況はいつまでも続くわけはなく、このままではブルジョアジーによって労兵ソヴィエトは潰されるであろうと。一方臨時政府によっては、平和・パン・土地など民衆のもとめる差し迫った要求を解決することはできないとみなしました。

そこで、臨時政府に対する不信任・非協力の立場を明確にして、すべての権力をソヴィエトに集中する革命が必要であるとの方針を出しました。

しかし、そのことは、ロシアでただちに社会主義社会の建設に着手すべきであるとか、着手できるということを意味してはいませんでした。

レーニンは『スイス労働者への告別の手紙』の中で述べています。「われわれは、ロシアのプロレタリアートが他の国々の労働者よりも組織、訓練、意識の点でおとっていることをよく知っている」。「その資質がとくべつにすぐれているというわけではなく、ただ歴史的諸条件の特別の組み合わせだけが、ロシアのプロレタリアートを、おそらくはきわめて短期間、全世界のプロレタリアートの先駆者にしたまでである」と述べています。また、『遠方からの手紙　第1信』（１９１７年3月　全集第23巻３２７～３３９p）では、「ロシアは農民の国であり、ヨーロッパのもっともおくれた国の一つである。直接には、それは、ロシアにおける社会主義的プロレタリアートの立場を、また農業労働者と貧農にたいする社会主義的プロレタリアートの影響力を、非常に強化するであろう」と。

「この国でいますぐ社会主義が勝利することはできない。しかし、１９０５年の経験にもとづいて、ロシアのブルジョア民主主義革命に巨大な展開力を与え、わが革命を、世界社会主義革命の序曲、それへの一段階にすることができる」と。また同じ手紙で、「ロシアでは、……農民大衆は、避けがたい、時機の熟した土地改革を、無限に大きなすべての地主の土地を没収するまで遂行することができる。このような変革は、それ自体としては、まだけっして社会主義的なものではない。しかしそれは、全世界の労働運動に、巨大な刺激をあたえるであろう」と。

レーニンは、ロシアにおける革命を世界革命の一環としてとらえていましたが、その場合の「世界」とは「西ヨーロッパと北アメリカ」を指していました。彼は「社会主義の時機が熟しているのは、西ヨーロッパと北アメリカとの先進諸国だけである。」「社会主義が実現されるのは、あらゆる国々のプロレタリアの統一行動によってではなく、先進的資本主義の発展段階に到達した少数の国のプロレタリアの統一行動によってである」（『マルクス主義の戯画と「帝国主義的経済主義」とについて』　全集第30巻77～１３０ｐ）と述べています。

このように、ロシアは産業の発達のおくれた後進国で、生産力は低く、教育の普及も悪く、ただちに社会主義社会建設に着手するためには物質的・社会的条件がととのっていないこと、また社会主義建設は一国のみでは不可能であることを明らかにしていました。

では、なぜ労働者・兵士ソヴィエトは全権力を握らねばならないのか。その理由は、パン、平和、土地という民衆が求めている緊急の課題を解決するためであると。

むろんこのことは最重要課題でしたが、レーニンにとっては、それ以上に重要な目的がありました。社会主義社会へ移行するための準備として、できることに直ちに取りかかることでした。彼は次のように述べています。

「労働者・兵士代表ソヴィエトが権力をにぎらなければならないのは、普通のブルジョア共和国をつくりだすためでもなければ、社会主義に直接に移行するためでもない。そういうことは不可能である。それでは、なんのために必要なのか？　ソヴィエトは、この移行をめざして今とることができ、とらなければならない最初の具体的な諸方策をやりとげるために、権力を握らなければならないのである」。(「戦術にかんする手紙」１９１７年４月)

ロシアの経済と社会秩序は長引く戦争のために、まさに崩壊寸前にありましたが、臨時政府はドイツとの戦争を継続する方針をもち、土地問題も食糧問題など緊急課題を解決する意欲も能力も持ってはいないとみられていました。

ロシア各地に形成された労働者代表ソヴィエト（代表者の評議会）は次第に兵士・農民をひき入れ、労働者・兵士・農民ソヴィエトに発展しつつありましたが、2月革命直後には、ソヴィエトは臨時政府が国家権力を掌握することを認め、臨時政府を支持するという立場に立っていました。またソヴィエトの主導権はメンシェヴィキやエスエルが持ち、ボリシェヴィキは極めて小さな少数派でした。情勢の変化とともに、ボリシェヴィキは次第に勢力を増し、1917年9月には都市部では圧倒的多数のソヴィエトで主導権をとるようになったのです。

レーニンは臨時政府打倒の武装蜂起をボリシェヴィキ党幹部に主張しましたが、ジノヴィエフ、カーメネフらの古参幹部は強く反対し、ペトログラードの党中央委員会も慎重な態度をとっていました。また、1917年2月革命以降、農民の革命運動が高揚し、1917年秋には農民運動は、ロシアのヨーロッパ地域の90％以上の郡に及び、農民蜂起に発展していきました。さらに、軍隊についても、圧倒的多数の兵士がボリシェヴィキを支持し、ペトログラードに近いバルト海艦隊の水兵は完全にボリシェヴィキを支持しました。

7月事件以降地下に潜伏していたレーニンから、9月14日付の武装蜂起を提案する手紙がボリシェヴィキ中央委員会に出されていましたが、中央委員会では直ちには支持されませんでした。

10月10日武装蜂起に関して、ボリシェヴィキ党中央委員会が開かれ、12人が出席しました。カーメネフとジノヴィエフの２人が反対し、他は賛成しました。これにより武装蜂起の準備に入ることが決まりました。反対した２人は、レーニンと個人的にも親しく、長年の同志でした。

10月12日、ペトログラード・ソヴィエトは、反革命からのソヴィエトの防衛という目的をかかげ、トロツキーの指導のもとに軍事革命委員会を設置しました。

10月16日中央委員会が再度開かれ、武装蜂起について賛成20、反対2、棄権３人で武装蜂起の方針が確認されました。反対の２人は前回と同じでした。

どうしても武装蜂起に納得できないカーメネフは、ジノヴィエフに相談せずに、２人の連名で、ゴーリキー（エスエル左派）の主催する新聞『ノーヴァヤ・ジーズニ』に次のような声明を発表しました。「現今の社会勢力の力関係では、いま、武装蜂起のイニシアティブを自ら取ることは、革命とプロレタリアートの大義にとって許すことのできない破滅的な一歩となるであろう」。レーニンはカーメネフの除名を要求しましたが、ボリシェヴィキの機関紙『プラウダ』は声明をだしてカーメネフとジノヴィエフをかばいました。このときの『プラウダ』の責任者はスターリンでした。

こうして、ついに10月25日にボリシェヴィキとソヴィエトによる武装蜂起によって臨時政府は打倒され、国家権力はペトログラード・ソヴィエトの手に移ったのです。首都における死者６人、負傷者50人で、ほとんど無血革命といえる権力の移行でした。

ちなみに、２月革命の犠牲者は、トロツキーによれば、死傷者１４４３人、うち８６９人が軍人で、さらにそのうち60人が将校であったとされています（池田嘉朗『ロシア革命　破局の８か月』岩波新書）。その後に行われた憲法制定会議の選挙結果をみますと、首都ペトログラードとその一帯及びモスクワを中心とする中央工業地帯の労働者と兵士、バルト海艦隊の水兵、北部・西部方面軍の兵士は、ボリシェヴィキと10月革命を支持していたことが分かりました。このことから、臨時政府を倒した10月革命は都市部においては労働者と兵士を主体とした革命であったといえます。

2　ボリシェヴィキ政権

首都における革命は、10月25日深夜から開かれた第2回全ロシア・ソヴィエト大会に既成事実としてつきつけられました。武装蜂起により権力奪取したこの革命に反対するメンシェヴィキとエスエル（社会革命党）右派は大会から退場しました。

「会場に残った代議員はボリシェヴィキ３９０、左派・中央派エスエル１７９、統一社会民主主義者国際派とメンシェヴィキ国際派35、ウクライナ社会民主党21」でした。（和田春樹ら編『ロシア史』３山川出版）

大会はソヴィエト権力の樹立を宣言し、「労働者、兵士、農民諸君へ」という行動綱領、「平和にかんする布告」、「土地に関する布告」をほぼ満場一致で採択しました。行動綱領は平和と土地、軍隊の民主化、労働者統制、憲法制定会議の招集、パンと生活必需品の都市農村への供給、民族自決などの目標を宣言するものでした。

「平和に関する布告」は、すべての交戦国との講和交渉の即時開始の提案と講和の条件は無併合、無賠償、民族自決とすること、休戦協定の即時締結を提案するものでした。

「土地に関する布告」は、地主地、皇室領地を無償没収することとし、憲法制定会議が開かれるまでは、エスエルの土地改革政策である「土地社会化」に沿い、農民革命の自律性を尊重することを指針としました。

しかし、革命政府の構成メンバーについては、ボリシェヴィキはエスエル左派に入閣を断られたため、憲法制定会議招集までの「臨時労農政府」としての人民委員会議を提案しました。首班レーニン、外務人民委員トロツキーなどを顔触れとするものですが、他党派は皆これに反対し、全社会主義党派の政府を主張しました。ボリシェヴィキはこれを退け、賛成多数で自分たちの案を押し通しました。

11月全ロシア農民ソヴィエト臨時大会が開かれ、労兵ソヴィエトとの合同とそれに責任をもつ政府をもとめるエスエル左派の決議案を採択しました。エスエル左派とボリシェヴィキとの交渉の結果、12月にはエスエル左派から7人が人民委員会議に加わることになりました。

3　ボリシェヴィキ政権の政策のその後

（1）憲法制定会議の招集と解散

憲法制定会議の議員の選挙と招集は、2月革命以来ボリシェヴィキの政治綱領の第一の基本的要求でした。臨時政府がひきのばしてきたことと、第2回ソヴィエト大会の決定は全て憲法制定会議までの臨時措置であるという留保がなされていたことなどから、新政権は速やかに選挙を実施することをせまられていました。

選挙は、11月12日以降、ロシア史上初の自由な普通選挙（但し有権者は成人男性のみ）として行われ、全体の投票率は50％弱でした。各党派の得票率を見てみますと、第1党はエスエル党（社会主義革命党）で40・4％、ボリシェヴィキは24％で第2党にとどまり、以下カデット4・7％、メンシェヴィキ2・7％などという結果でした。

憲法制定会議は、その構成から、当然に革命政権にたいして敵対的でした。しかし、レーニンは、憲法制定会議に対して無条件にソヴィエト政権とその政策を承認すると声明することを強硬にせまりました。さらに、憲法制定会議がこれに従わなければ会議を解散させるとの意志を表明しました。エスエル左派のみはこのことを支持しました。1918年1月5日憲法制定会議は開会されました。チェルノフ（エスエル党の指導者）が議長に選ばれ、議事にはいりましたが、革命政権提案の宣言は審議からはずされたため、ボリシェヴィキとエスエル左派の議員団は協議のうえ退場しました。残った議員で、エスエル党提案の「土地基本法大綱」等の提案を採択し、退場しました。その日の夜、革命政権から憲法制定会議の解散の布告が出され、再び会議が招集されることはありませんでした。

このとき、革命政権は自らを独裁政権として位置づけたと考えられます。それとともに、憲法制定会議の解散はエスエルやその他の党派の革命政権に対する反乱の正当性を与えたといえます。憲法制定会議は、2月革命以降ボリシェヴィキ自らが臨時政府に対して招集を強く要求していたことです。その会議を、革命政権に敵対的で邪魔な存在とみなして、革命政権が一方的に解散してしまったということは、普通選挙による議会制民主主義への道を閉ざしてしまったことになります。

1918年1月10日、第3回労兵ソヴィエト大会が開始され、13日に開会した第3回農民ソヴィエト大会と合同しました。この合同大会では、「勤労非搾人民の権利の宣言」を採択しました。その際レーニンは、ロシアは「社会主義ソヴィエト共和国」であることを初めて宣言しました。「社会主義」という目標が明確に提起されたことはこれが初めてで、ロシア革命の転機をなしたといえます。それにしても、この社会主義宣言は、レーニン自身の1917年5月の次の見解と明らかに矛盾します。

「小農の国では、プロレタリアートの党は、住民の圧倒的多数が社会主義革命の必要をさとるようにならないかぎり、けっして社会主義の『導入』を目標とすることはできない」。(『わが国の革命におけるプロレタリアートの任務』――プロレタリア党の政綱草案　全集24巻　40～76p)

レーニンは2月革命直前までは、資本主義社会とブルジョア民主主義は歴史的に避けて通れないものであり、プロレタリアートはブルジョア民主主義のもとで十分に訓練を積むことなしには、プロレタリア民主主義の担い手にはなれず、プロレタリア民主主義なしには社会主義社会の建設は不可能であると、くりかえし力説していました。しかし、2月革命が起きると、かれは、ロシアにおいては、ブルジョア民主主義革命は終了したとの見解に立ちました。それのみでなく、それまでは尊重していたブルジョア民主主義に対する評価を一転させ、痛烈な批判を浴びせるようになりました。(1917年8月『国家と革命』など)

憲法制定会議の解散は10月革命の大きな分岐点をなし、その後革命政権が一党独裁制の道を歩む契機となる非常に残念な出来事でした。

「ロシア社会民主労働党」は同年に開かれた第7回党大会で党名を「ロシア共産党」と改称しました。

1919年3月のロシア共産党第8回大会が採択した決議の中に、次のような一項が含まれていました。「ロシア共産党は、独力で、ソヴィエト内における政治的支配と、その活動の全域にわたる実際的支配とを握らねばならない」。(E．Hカー『ボリシェヴィキ革命』1　182p、大藪隆介著『国家と民主主義』による)

（2）民族自決問題

革命政権は1917年11月15日、民族問題人民委員スターリンの名前で「ロシアの諸民族の自決権」について特別布告を出し、分離独立の権利を明記していました。しかしボリシェヴィキの革命と民族革命との関係は複雑で、解決は困難でした。フィンランドのみは1917年12月独立宣言をだすことができましたが、これは例外でした。

①ウクライナ：ウクライナは1917年11月7日に早々と「ウクライナ人民共和国」の樹立を宣言しました。ウクライナ臨時政府は「同質社会主義者政府」（エスエル右派の提唱によるボリシェヴィキとブルジョア政党を除いた政府）をつくることを主張しており、革命政権と対立していました。革命政権によって派遣された遠征軍は、ウクライナのボリシェヴィキ系のソヴィエトを支援して、ウクライナ・ラーダ政権を崩壊に追い込みました。1918年1月遠征軍によってキエフは占領され、打倒されたラーダ派はドイツ軍に希望を託したといわれています。

②ポーランド：1920年5月ポーランド軍はナショナリズムの高まりによりウクライナへ総攻撃を

開始し、同月キエフを占領しました。これに対し赤軍も反撃に出ました。レーニンは軍隊によってポーランドに「革命の輸出」を行おうという政策を熱烈に支持しました。赤軍のポーランドへの侵入は、ポーランド労働者の革命的決起をひきおこすことなく、逆にポーランド人のナショナリズムと反ロシア感情を一挙にたかめることになり、8月から赤軍は後退に転じ、ついに10月停戦協定を結んで戦争は終結しました。

③グルジア：1917年の革命直後から、グルジアにはメンシェヴィキが支配する政権が樹立され、連合国からも承認されていました。ところが、1921年2月赤軍はグルジアに侵入し、グルジアをザカフカーズ・ソヴィエト社会主義共和国連邦に暴力的に統合してしまったのです。

革命政権は旧ロシア帝国内の諸民族に対して分離独立の権利を認める特別布告を出したにもかかわらず、今述べたソヴィエト革命政権の政治的行動は「民族自決権」を全く無視する矛盾した行為でした。

（3）土地革命（農地革命）

2月革命によってツァーリ専制権力が崩壊したことが全国に伝わると、県庁所在地では労働者ソヴィエトが組織されるようになりました。県知事——郡警察署長の支配機構が崩れると、農民たちは村の自治を主張して郷長を追放して、農村共同体に基づく郷委員会にまとまった農民革命がはじまりました。

5月には第1回ロシア農民大会が開かれ、エスエルの土地政策である「土地社会化法」を来るべき憲法制定会議で実現させるという方針を採択しました。「土地社会化法」の要旨は、①すべての土地の私的所有を廃止して社会的所有とする（全人民の財産とする）、②自分で耕作する者に均等に土地を分配して利用させる、③民衆的に組織された共同体と、共同体の地域連合体に土地を管理させる、というものです。

2月革命後、農村では政府の支配から解放された農民たちは、地主の土地を奪い、自分たちで分配していました。この行為はかつての農村共同体ミールの復活とみることができます。

第2回ソヴィエト大会での「土地に関する布告」、1918年1月憲法制定会議でエスエルによって提案されて採択された「土地基本法大綱」、第3回ソヴィエト大会でエスエル左派が提案し、採択された「土地社会化基本法」によって、農民たちは自分達が行っている土地革命は正当化されていると受け取りました。

第2回全ソヴィエト大会において、レーニンは「土地についての布告」提案説明の結びの言葉で、「われわれは、農民自身が、われわれよりもっとうまく、正しく、そうすべきであるように、問題を解決できると信じている。われわれの流儀であろうと、エスエルの綱領式であろうと——要点はそんなところにはない。要は、農民が、村にはもはや地主はいないと確信をもつことであり、農民が自分で一切の問題を解決していく、自分で自分の生活をつくり上げていくままにさせることである」と述べました。

自分の労働によって耕作する農民に土地を分配するという土地革命は、本来社会主義的政策と相反する方向性をもったものでしたが、農民は自分達が望んでいたものが獲得できたことによって革命政権を支持しました。

土地革命の結果は、土地所有の著しい標準化、農民の圧倒的な中農化であるとともに、古来のロシアの共同体ミールの復活・強化でした。このような土地革命は本来はエスエルの土地政策であり、この政策を革命政権が採用することにより、革命にたいする農民の支持・協力をとりつけることができたのです。

後日レーニンは次のように述べています。「われわれが勝利したのは、われわれが自分の農業綱領でなくエスエルの農業綱領を採用して、実際にそれを実現したためである。われわれの勝利は、われわれがエスエルの綱領を実現した点にあったのだ。だからこそ、この勝利はあんなに容易だったのである」。(「共産主義インターナショナル第3回大会」１９２１年６～７月)

ボリシェヴィキが農民の支持をえるためにエスエルの農業綱領を採用したことは事実ですが、それを実現したのはボリシェヴィキではなく、農民が自立的に進めた土地革命を追認したのです。指導力について言えば、エスエルの方がはるかに大きかったのです。

（４）言論の自由に対する弾圧――「出版に関する布告」

１９１７年10月26日、革命政権（人民委員会議）が樹立された翌日、軍事革命委員会は、カデット（立憲民主党）の機関紙『レーチ』その他のブルジョア新聞を反革命的活動の理由で封鎖しました。さらにその翌日、「出版に関する布告」を発して、革命政府に敵対的な新聞の封鎖を命じました。

10月革命は殆んど無血的に達成され、その直後しばらくは、革命政権とこれに敵対する勢力の間で武装闘争は起きていませんでした。そのような状況の中で、ボリシェヴィキは権力を獲得すると即座に、敵対する階級から出版の自由の剥奪を開始したのです。「出版に関する布告」は11月４日全ロシア中央執行委員会で審議され、エスエル左派のみならずボリシェヴィキの一部も反対し、布告の廃止を求めましたが、くつがえすことはできませんでした。布告に反対したエスエル左派の主張の一つとして、ブルジョア新聞に対しては、それを暴力的に封鎖することによってではなく、真実の訴えを行い、思想闘争により勤労大衆を組織することによって勝利すべきであるという正当な主旨が述べられました。

ソヴィエト政権樹立早々に、ボリシェヴィキの言論に関する強圧的な政策は、ボリシェヴィキとエスエル左派の間に亀裂をもたらし、ボリシェヴィキと他の諸政党との軋轢を不必要に激化させることになりました。ブルジョア階級から権利を奪い、民主主義から排除するという政策は、レーニンのプロレタリア民主主義論に基づくものですが、言論の自由の権利の剥奪は、きわめて厳しい武装闘争の状況などに限って、一時的に適用を許されるべきです。

レーニンは、『国家と革命』の中で、プロレタリア民主主義はブルジョア民主主義よりも百万倍も民主的であると述べていますが、対立する勢力から出版の権利を剝奪するというような政策は、レーニン流のプロレタリア民主主義はブルジョア民主主義よりも包容力のない貧弱なものであることを示すことになります。

（5）休戦・講和

ソヴィエト政府は最初の仕事として、11月19日からドイツとの休戦交渉を開始し、12月9日休戦協定が調印されました。12月15日オーストリア＝ハンガリーなど中欧4カ国同盟軍との間でも休戦協定が結ばれ、3年以上続いた戦闘はやみました。

しかし、最終的な講和条約がどのような内容になるかが問題でした。先に、革命政権が発した「平和に関する布告」では、講和の条件は無併合、無賠償、民族自決を原則とし、すべての交戦国の政府と人民に休戦交渉の即時締結を提案するものでした。戦争継続を固持するイギリス、フランス、アメリカなどの連合国はドイツとの休戦に見向きもせず、ロシアが連合国から離脱することに強い反発を示しました。

1918年1月、レーニンはロシアにとって不利なドイツとの講和条約を即時締結することを主張し、

3月初め講和条約はブレスト=リトフスクで調印されました。ウクライナやバルト地方の事実上の割譲、巨額の賠償金の支払いなどソヴィエト政権にとって非常に不利な内容でした。

3月中旬第4回全ロシア・ソヴィエト大会で講和条約は批准されました。しかし、この条約については、ボリシェヴィキ内部にも少なからぬ反対があり、エスエル左派はパルチザン戦によってドイツに抵抗することを主張しました。エスエル左派の強い反対がありましたが、それを押し切って条約は批准されました。

このことによって、エスエル左派は、10月革命以来数か月間続いたボリシェヴィキとの連立政権から閣僚を引きあげて離脱し、その後の内戦において敵対的立場で闘うことになりました。エスエル左派とボリシェヴィキとの決裂は、単に講和条約締結に関してのみではなく、それ以前の憲法制定会議の解散や言論の自由の制限に関する件などが積み重なって生じたことと考えられます。

4　まとめ　10月革命とはどのような革命だったのか

従来の公式的見解によれば、2月革命はブルジョア民主主義革命であり、10月革命は史上初の労働者国家を樹立したプロレタリア革命であったとされてきました。しかし、この革命をどのように規定すべきかということについては、長年にわたり学者・研究者の間で延々とした議論が続けられてきました。私はいまここで、この議論に深入りすることは避けたいと思います。私のこの革命に関する考えの要点を次のようにまとめます。

①この革命は社会主義革命ともいえず、2月革命によって生み出されたブルジョア民主主義革命の第2段階ともいえません。あえていえば、後進国革命の一類型としての「開発独裁」に分類せざるをえません。

②この革命は二つの自立した革命、すなわち、都市部におけるボリシェヴィキ（共産党）によって指導された労働者・兵士の革命と農村部においてエスエルに指導された農民による土地革命が、相互にゆるやかな結び付きを保つ中で遂行されました。

③2月革命によって切り開かれたロシアにおけるブルジョア民主主義革命が生みだした市民的自由の空間はわずか8カ月ほどで10月革命によって閉ざされてしまいました。2月革命によって、国家権力がツァーリ専制政権から資本家階級の手に移ったといっても、わずかな期間でした。この間に資本主義経済やブルジョア民主主義が全面展開することはできるはずがありません。当然のことながら、かつてレーニンが熱心に説いた労働者階級がブルジョア民主主義を経験することはわずかな期間しかなかったことになります。何よりもレーニン自身が自らの提言を踏みにじることになりました。

④ボリシェヴィキというよりその指導者レーニンは、この革命の構想として、飛び越すことはできないとされた「ブルジョア民主主義」という政治制度と資本主義社会の飛び越えを試みたのです。経済的には、来るべき社会主義社会建設の準備段階の物質的基礎として、ドイツの戦時統制経済にならった「国家独占資本主義」を労働者国家のもとで成し遂げようとしていました。

このときに悲劇が始まったといえます。

第七章　ロシア革命と農民革命

既に述べたように、１９１７年２月～１９２１年のロシアにおける革命は、「労働者と兵士（労兵ソヴィエト）の革命」であり、それを指導した「ボリシェヴィキ＝ロシア共産党」による革命であったという考えが公式の歴史観として普及してきました。そのような歴史観では、ロシア革命において農民が果たした役割は無視されているか、極めて過小に評価されています。たとえ農民革命を認めた場合でも、その多くはボリシェヴィキが指導したものであるかのような歴史の歪曲がなされています。

しかし、ロシア革命の中で農民が果たした役割は極めて大きかったことを認めなければなりません。結論を先に述べるなら、１９１７年～１９２１年の革命は、ボリシェヴィキに指導された都市における労働者階級及び兵士大衆の革命とともに、これから自立した農村における農民階級の土地革命とのゆるやかな結合であったと言えます。そして、農民革命に対する指導力はエスエル党（社会主義者・革命家党または社会革命党）が圧倒的に大きく、ボリシェヴィキは農村にほとんど活動の拠点を持っていなかったのです。

それにボリシェヴィキの10月革命前の土地政策は「土地の国有化」でした。

1　ロシアは農民の国

第1次大戦前、ロシアはペテルブルグやモスクワなどの大都市を見れば発達した大工業を持つ資本主義国でした。1913年の国民所得をみますと、鉱工業は21・8％、これに運輸・交通・建設・商業を加えると46・1％をしめ、農林水産業は53・9％でした。

一方、人口についてみてみますと、1914年1月1日における統計によると、ヨーロッパ・ロシア50県（フィンランド・ポーランド・コーカサス・中央アジア・シベリアを除く）の人口は1億2777万6500人で、平均した農村人口は84・7％を占め、中央農業地帯では91～94％を占めていました（和田春樹著『農民革命の世界』から引用）。このように、人口の観点からみると、ロシアは圧倒的に農民の国でした。

別の統計によりますと、「1913年のロシアの人口は1億6900万人であったが、17年の工業労働者はせいぜい340万人、つまり2％でしかなかった」（下斗米伸夫著『ソ連　党が所有した国家』）とあるように、工業労働者の比率は非常に少なかったのです。教育の普及も悪く、1910～1913

年の識字率は推定で28・4％とされていました。

2　農民革命とエスエル党の「土地社会化」

ロシアの農民の間には「土地は誰のものでもなく、神のもの、土地を利用する権利は労働のみが与える」という伝統的信念が普及していました。このような信念に基づく「土地総割替」の志向には、農民の共同体的諸権利の奪還の思想が脈々と受け継がれていました。この考えに基づいて、土地政策を理論化したものが、エスエル党の「土地社会化」の綱領です。

エスエル党は、既に１９０５年末から１９０６年初に行われた第1回党大会で同綱領を決めていました。

「土地社会化」とは、土地の私有を認めず、全人民の財産に転化することを根幹とし、①「すべての土地は、民主的に組織された非身分制的な農村と都市の共同体にはじまり、州と中央の機関にいたる中央・地方の人民自治機関の管理のもとに入る」②「土地の利用は均等的・勤労的たらねばならない。すなわち、個人ないし組合により自己労働を投下することを基礎として消費基準を保証するものでなければならない」……ロシアにおける農民革命――皇室領、大土地所有者の土地を収奪して、農民の間で分配する闘い――は、1917年2月革命直後から始まり、漸次全国に波及しました。この闘いは都市に於ける労働者・兵士ソヴィエトの革命運動とは別個に、農民の自然発生的・自立的な運動として広がっていったのです。その闘いは村落共同体の基である「村団」とそれに基づく「郷委員会」を組織的拠り所としていました。

エスエル党は1917年2月革命後最大の党派となり、メンシェヴィキとともにソヴィエトの中で多数派を形成し、農民ソヴィエトを独占的に掌握していました。

前述のように、もともとボリシェヴィキは農村にほとんど活動の足場を持っておらず、農民に影響力を持っていたのはエスエル党、ことにチェルノフを指導者とするエスエル党右派でした。

3　革命政権による「土地に関する布告」

1917年10月25日深夜から開かれた第2回全ロシアソヴィエト大会は、右派エスエルとメンシェヴィキが退場した後、ソヴィエト権力の樹立を宣言し、行動綱領に関する「労働者、兵士、農民諸君へ」、「平和に関する布告」、「土地に関する布告」をほぼ満場一致で採択しました。

行動綱領は、平和と土地、軍隊の民主化、憲法制定会議の招集、パンと生活必需品の都市と農村への供給、民族自決などの目標を宣言しましたが、その中には社会主義的な要求が一つも含まれていないことは注目すべきことです。

「土地に関する布告」は地主地、皇室領地を無償没収することを宣言した上で、憲法制定会議が開かれるまでは、エスエルの土地綱領「土地社会化」の考えに立つ、農民付託要求書を革命の指針とすることを認めたのです。それまでのボリシェヴィキの土地政策は「土地の国有化」でした。

レーニンは補足説明の際、「要は、農民が自分の力で一切の問題を解決していく、自分の生活を作りあげていくままにさせることである」と述べました。このことは彼が農民革命の自立性を尊重するとの立場を表明したことです。

4 「食糧独裁令」と農民の抵抗

1918年4月末、都市の食糧事情は破局的状況に陥りました。1918年5月、ボリシェヴィキ政権は食糧危機に対処するため、いわゆる「食糧独裁令」を発しました。穀物の国家独占をはかり、農家に余剰穀物を無償で供出することを義務づけるものです。

食糧人民委員部に非常時の全権を与え、都市労働者からなる武装部隊を農村に派遣し、農民たちから強制的に食料を徴発するという過酷な政策でした。

都市の人々を飢餓から救うために、余剰穀物を私蔵している農村ブルジョアジー（クラーク）との仮借のない闘いであると宣伝されていましたが、１９１８年春には農村では土地改革はほぼ終了しており、農村にはもはや富裕な地主や農民ブルジョアジーと称される階級や階層はほとんどいなくなっていました。従って、強制的な穀物の徴発をはかる対象は一般農民ということになります。

旧地主から解放された農村に都市から押し寄せる食糧徴発部隊による暴力的な穀物の収奪に対して、農民は激しく抵抗しました。農民たちが自主的に進めた農民革命の成果を一方的に奪い取られることは、農民にとって理不尽であり、とうてい受け入れ難いことでした。

第Ⅱ編第十五章４―（１）「農民からの穀物の無償徴発」（後掲）をご参照ください。

５　農民の反乱

革命期の内戦で、ウクライナでは政権と軍事的支配者がめまぐるしく変わりました。

１９１８年12月、ウクライナ民族主義者ペトリューラの軍隊がエカチェリノスラフを占領していましたが、これをマフノ軍が解放し、市内にボリシェヴィキ、エスエル、マフノ軍各派５人ずつのメンバーからなる革命委員会が設けられ、マフノはエカチェリノスラフの全武装勢力の司令官となりました。この協力関係は翌年1月に赤軍がエカチェリノスラフに入った後も続きました。

ロシアやウクライナでは大小の農民の反乱が多数発生しました。その中で、特に大きな反乱として、「マフノの反乱」と「アントーノフの反乱」が有名ですが、前者を次項で取り上げてみたいと思います。

第八章　マフノの反乱

１９１７年2月革命以降、旧ロシア帝国内では無数の大小の農民の反乱が発生しました。その中で特に「アントーノフの反乱」と「マフノの反乱」が有名ですが、後者の方が反乱の過程がよく知られているとされていますので、後者を取り上げることにしました。

農民の多くが志向した土地政策とは伝統的農村共同体（ミール）への回帰でした。それは共同体的地域主義の復活と権力の分散でした。

従って、それはボリシェヴィキの掲げる社会主義とは相容れない思想でしたが、独自の社会主義的思想を持ち、反資本主義的であるが故に労働者・兵士ソヴィエトと相通じるものがありました。10月革命前ボリシェヴィキの土地政策は「土地の国有化」でした。農民革命の高揚を見て、農民の支持を得るために、ボリシェヴィキは土地政策をエスエル党の「土地社会化」（後述）にきりかえたのです。

1　反乱の指導者ネストール・マフノ（1889～1934）

マフノは思想的にはアナーキスト（無政府主義者）で、政治的にはエスエル（社会革命党）系でした。彼は1889年10月ウクライナのエカチェリノスラフ県グリャイ＝ポーレで、貧しい農家の五男として生まれました。2歳の時父が亡くなり、7歳の時から牧童として働き始めました。村を離れて農業労働者として働いた後、郷里にもどり鋳物工として働いているうちに「1905年の革命」が起こりました。

エカチェリノスラフ県の農民も闘いに立ち上がりましたが、激しい反革命側の弾圧にあい鎮圧されました。鎮圧軍が去った後、反革命勢力に対する復讐のゲリラに加わり、富農や資産家から金品を奪う強盗を繰り返していましたが、1910年懲役10年の判決を受け、8年余り刑に服しました。

1917年2月革命により彼は釈放されて、故郷のグリャイ＝ポーレに帰ってきました。このとき26歳でした。

彼はエスエル系の農民同盟の地区委員会を組織し、その議長となるとともに、無政府主義者として無政府主義者グループの再建に努めました。

1918年8月ソヴィエトの決定により、農民同盟をグリャイ＝ポーレ農民労働者ソヴィエトに改組し、マフノは議長につきました。彼が主宰するグリャイ＝ポーレ地区委員会では、全ての地主の土地を農民が自分達で分配しました。

民族派政権のウクライナ・ラーダが支配を広げようとしてグリャイ＝ポーレを支配下におこうとした時、１９１８年1月「社会主義」の名においてウクライナに攻め込むボリシェヴィキ軍（赤軍）に対し、マフノ軍は支援にまわりました。

マフノ軍の基本をなすものは、農民革命の成果を守り、発展させることを目的とする農民軍でした。

１９１８年3月ボリシェヴィキ革命政権とドイツとの間で「ブレストリトウスク講和条約」が結ばれると、この条約に反対していたエスエル左派とボリシェヴィキとの対立が大きくなりました。

2　マフノ軍と赤軍の関係

内戦の過程で、ウクライナでは政権と軍事的支配者がめまぐるしくかわりました。

１９１８年12月、ウクライナの民族主義者が占領していたエカチェリノスラフをマフノ軍が解放し、市内にボリシェヴィキ、エスエル、マフノ派からなる革命委員会が設けられました。マフノはエカチェリノスラフの全武装勢力の司令官になりました。

エカチェリノスラフに赤軍が入場した後、マフノ軍はソヴィエト・ザドニェプル師団に編入され第3旅団となりました。

ウクライナに迫る白軍（反革命軍）のデニーキン軍に対してマフノ軍と赤軍とは共同して闘いながらも、両者の関係は急激に悪化していきました。

関係悪化の基礎にはウクライナ・ソヴィエト政権の農業政策に対するウクライナ農民の根底的な批判がありました。

１９１９年2月ウクライナ・ソヴィエト政権は法令を出し、甜菜（砂糖大根）プランテーション、酒造工場プランテーションの土地を農民に分配することを禁じ、地主や資本家的富豪の土地をすべて均等に分配するのではなく、そのかなりの部分を集団農場組織のために当てることにすること、地主や富豪の農場から持ち去られた牛馬・機械などを取り戻すことが定められました。

ソヴィエト政権は農民が自主的に進めた農民革命の成果を強奪しようとしたのです。更に、法外な食糧調達の割り当て額を課し、装甲車を連ねた食糧調達部隊が都市から押し寄せて、暴力的に穀物を収奪していくという、強盗行為に農民たちは激しく怒りました。

3　ソヴィエト政権による労働者・農民の自主的活動への抑圧

１９１９年2月に開かれた第2回グリャイ＝ポーレ地区・兵士・労働者・農民大会土地問題はエスエル党が定式化した「土地社会化」の方法で解決できる。「すべての土地を勤労農民の手中に移せ」と決議しました。また、ロシアとウクライナのソヴィエト政権が命令や法令によって地元の労働者・農民ソヴィエトから自由と自主的活動を取り上げようとしていることを指摘するとともに、ボリシェヴィキが左派エスエルやアナーキストを弾圧していることに抗議しています。そして、「自分達で、暴力的な命令に従わずに、地元に新しい自由な社会をつくること」を志向することを表明しました。

同年4月、第3回大会がグリャイ＝ポーレで開かれたとき、赤軍師団長は、第2回大会が志向したことを「反革命」と決めつけて、大会組織者を「法の保護の外に置く」と宣言しました。当然のことながらマフノ軍はこのことに激しく反発しました。

赤軍に加わっていたフリホリエフの部隊が5月に反乱を起こした際に、赤軍からマフノ軍はフリホリェフに宣戦布告することを強要されました。これに対し、マフノ軍は、フリホリェフを敵であると宣言すると同時に、「ボリシェヴィキ＝共産党もまたこれに勝るとも劣らない労働者の敵である」と宣言しました。

５月19日から白軍のデニーキン軍が攻勢に出たため、マフノ軍は大きな打撃を受けました。マフノ軍はパルチザンを基本としてきましたから、その戦術上、約１００㎞後方に退却せざるをえませんでした。この退却に関して赤軍南部方面軍は、デニーキン軍の侵攻に道を開けた裏切り行為とみなして、マフノを逮捕し、軍法会議にかけるよう命令が発せられました。

４　マフノ軍退却から攻撃へ、デニーキン軍を破る

西方に退却を続けていたマフノ軍は、９月26日から攻撃に転じ、同日ペレゴノフカの敵主力を破り、ウクライナの地を西から東へ、デニーキン軍の背後を破竹の勢いで撃破しました。10月23日にはアゾフ海に面したマウリポリを解放し、デニーキン軍の大本営のある土地まで約80㎞に迫りました。

１９１９年９月から10月にかけてボリシェヴィキ政権は存亡の危機に立たされていました。白軍のデニーキン軍はロシア南部（北コーササス、ドン、ウクライナ全域）を支配下に置き、７月には北上を開始しました。10月13日にはオリョール市を占領して、首都モスクワに迫っていました。

これと同じ時期に白軍のユデーニッチ軍がバルト海方面からペトログラードに迫っていました。10月15日のボリシェヴィキ政権の政治局会議では、モスクワを守ることを最優先とする方針と決め、最悪の

場合にはペトログラード市の放棄もやむを得ないというところまで追い詰められていました。

ところが、トロツキーがペトログラードに急行し、陣頭指揮をとることによって、そこにおける戦局はボリシェヴィキ側に劇的に好転しました。

一方デニーキン軍は、10月後半トゥーラ市近郊での激戦の後、急速に退却し、敗北の一途をたどりました。その際マフノ軍がデニーキン軍の背部を突いて後方を撹乱し、赤軍の勝利に決定的な役割を果たしたのです。

5　マフノ軍と赤軍の束の間の和解

マフノ軍は10月28日、エカチェリノスラフを解放し、12月末までの2カ月間ここを中心としてアナーキスト的農民共和国を生み出しました。

1920年1月1日、赤軍はエカチェリノスラフ・アレクサンドロフスクを占領しました。マフノ軍は赤軍との友好的話し合いの結果、共通の敵（白軍）と闘うためにこの地を赤軍に明け渡すことに同意しました。この時点では、革命派の中の異なった勢力の間の和解が成立するかに見えました。

6　ソヴィエト政権による農民の武装解除の方針とマフノ軍への攻撃

１９１９年12月にモスクワで開かれたロシア共産党第８回協議会で、ウクライナに於けるソヴィエト権力の再建に関する新方針がだされました。

農民の支持を得るために土地政策を根本的に改めることが決められました。地主の土地を農民に分配し、集団農場は条件に応じて作ること、いかなる強制も加えてはならないとされました。また、食糧の徴発量はウクライナの農民・労働者と赤軍の兵士が必要とする量だけに限定すると決められました。これらの政策を示した上で、「すべての武器を農村から引き出して、労農赤軍の手中に集中すること」という方針が出されました。これは農民の武装解除です。

１９２０年１月７日付のマフノ軍、正式には「ウクライナ革命反乱軍」の軍事革命評議会・総司令部の宣言は、「ブルジョア＝地主権力」と「ボリシェヴィキ＝共産党的独裁」の双方からウクライナの勤労者を完全に開放し、「真の社会主義的秩序」を創出することを目標とすることを明らかにしています。

地主地の没収や工場・鉱山を労働者階級全体の所有に移すこと、政党代表を除いて労働者と農民だけの自由ソヴィエトをつくること、言論、出版、集会、団結の自由を保障すること、これとならんで次の１項があります。「チェーカー、党委員会や類似の強制的、権威主義的、規律保持制度は農民・労働者の間においては許されない」。

1月8日赤軍第14軍司令官はマフノに対して、ポーランドと闘うため、ベラルーシのゴメリに移動し、第12軍の指揮下に入れと命令しました。農民パルチザンをその根拠地から引き離す策略に対しマフノは答えませんでした。

すると1月9日、全ウクライナ革命委員会議長等の名前で、マフノを「脱走兵、裏切り者として法の外におく」と宣言しました。

このようにして赤軍のマフノ軍に対する攻撃が開始されました。1月マフノ軍の中にチフスが蔓延し、マフノ自身もチフスにかかってたおれました。春から夏にかけてマフノ軍は赤軍の攻撃によって敗勢におかれていました。

7　マフノ軍と赤軍の協力関係再現によりウランゲリ軍　撃退

ところが秋になると、ウランゲリ将軍のひきいる白軍がクリミア半島からウクライナに侵入し、マフノ軍の本拠地は白軍によって占領されました。このような状況が再びマフノ軍と赤軍の協力関係を可能にしました。

10月、両者は政治的・軍事的協定を結びました。この協定は赤軍側の明らかな譲歩でした。この協定の中の軍事協定第1項では「ウクライナ革命反乱軍は（マフノ反乱軍）は赤軍に志願部隊として参加し、作戦行動においては赤軍最高司令官の指揮下はいること。ただし、反乱軍は赤軍正規軍の基本原則に拘束されることなく、その内部構造を保持し得ること」（『マフノ叛乱軍史』シーモノフ著　奥野路介訳　風塵社）と示されていました。

この協定に基づいて、マフノ軍と赤軍の白軍に対する共同反抗が始まりました。11月マフノ軍は凍結した黒海を渡ってウランゲリ軍の背後を突きました。これによりウランゲリ軍は総崩れとなって敗走し、11月16日赤軍はケルチを解放し、南部戦線は終結しました。

8　マフノ軍の反乱の終焉

赤軍とマフノ軍との協力関係もここまででした。

11月26日、フルンゼは、マフノ軍がソヴィエト権力と赤軍に対抗し、グリャイ＝ポーレで農民を動員して赤軍を攻撃しているとの理由により、マフノ軍を武装解除すること、抵抗する場合には全滅させることを全軍に指示しました。かくして、赤軍とマフノ軍との戦闘が再開されたのです。

１９２０年11月23日付の（赤軍）南部方面司令官フルンゼからマフノ宛ての指令では、「ウランゲリ軍に対する作戦行動の終結にともない、ソヴィエト政府南部方面革命軍事参謀本部は反乱軍パルチザン部隊の任務が完了したものとみなし、反乱軍革命軍事評議会に、ただちにこの部隊を赤軍正規軍に編入するよう提案する。

反乱軍が独自に存続する必要は現下の軍事情勢からしてもはやなく、別個の組織と目標をもった軍が赤軍と並存することは、実に好ましからざる事態をもたらすもととなるであろう。……」。（『マフノ叛乱軍史』アルシーノフ著、奥野路介訳　鹿砦社）

この指令は10月に取り交わされた軍事協定第1項に示された「マフノ叛乱軍は志願部隊として赤軍に合流し、作戦行動においては赤軍最高司令部指揮下に入ること。ただし、赤軍正規軍の基本原則に拘束されることなく、その内部構造を保持し得ること」（前記『マフノ叛乱軍史』）という条項を一方的に破棄することです。その目的は、ずばり「別個の組織と目標をもった軍が赤軍と並存することは、実に好ましからざる事態をもたらすもととなるであろう……」（同前記）ということです。

つまり、ソヴィエト政府は、共産党とは異なる思想や政策を持った独自の武装集団が存在することを好まず、そのような集団が存在する場合には撲滅すべきであるという方針だということです。

実は、この11月23日付の指令書は直接マフノ軍に届けられたのではなく、マフノ軍が知ったのは、赤軍のマフノ軍に対する奇襲攻撃が開始されてから3～4週間後のことでした。偶然に入手した12月15日付のハリコフのソヴィエト機関紙『共産主義者』に公表されていたのです。このことも実に恥ずべき行為です。

マフノ軍に対する攻撃とともに、各地でアナーキストの大量逮捕や殺害が行われました。言論の弾圧です。

1919年4月頃、最盛期のマフノ軍は約2万人の歩兵と8000騎の騎兵を擁する大軍団でした。1920年12月でも1万～1万5000人の兵力を持っていました。それが1921年1月には5000～6000人に減りました。それから数か月、数千のマフノ軍は、新鋭の兵器を持った15万と言われた厖大な数の赤軍の包囲網と熾烈な戦いを続けました。あるものは戦闘でたおれ、あるものは処刑され、ある者は農民に戻っていきました。5月には2000騎、6月には1000騎となり、1921年8月、ついにマフノは80騎の騎馬部隊とともに国境を越えてルーマニアに脱出し、マフノ軍の反乱は終焉を迎えました。

参考文献

① アルシーノフ著『マフノ反乱軍史――ロシア革命と農民戦争』 奥野路介訳 鹿砦社

②　和田春樹著『農民革命の世界――エセーニンとマフノ』　東京大学出版会

第九章　クロンシュタットの反乱（１９２１年2月28日〜3月18日）

クロンシュタットは、ロシアの首都ペトログラード（現サンクトペテルブルグ）の沖、西方約30㎞、フィンランド湾内に位置するコトリン島にある要塞都市及びバルト海艦隊の基地です。ここはペトログラードの防衛上重要な役割を果たしてきました。

バルト海艦隊の水兵達は１９０５年の革命にもツァーリ専制政治に反対して反乱を起こしました。１９１７年の２月革命には帝政打倒の反乱を起こし、更に10月革命にはソヴィエトとボリシェヴィキを支持して臨時政府打倒の闘いに加わりました。また内戦においても赤軍（革命軍）の大きな戦力となりました。ここの人口は海軍軍人と市民合わせて約6万人と言われています。

そのバルト海艦隊の戦艦「ペトロパヴロフスク号」と「セヴァストポーリ号」を中心とした水兵達が、ボリシェヴィキ（共産党）の独裁政治に対して反乱を起こしたのです。

1　反乱の背景

１９２１年はロシア革命にとって一大転換点であり、共産党政権にとっては一大危機でした。第１次大戦と内戦による鉱工業生産の壊滅的状態、農村の荒廃による食糧生産の減少に加えて、物資を輸送する鉄道網の著しい荒廃と燃料不足により慢性的食糧不足状態にありました。

この物質的窮乏に加えて、人々は共産党一党の独裁政権の過酷な政治的支配下に抑圧されていました。白軍（反革命軍）との戦闘が続いている間は困難に耐えていた民衆が、白軍との闘いが終結すると、不満を爆発させたのです。

（１）農民：共産党政権の農業への不当な介入、食糧の強制調達、新たな徴兵などを不満とする農民の大小の反乱が、１９２０年夏から多発していました。その反乱は拡大し続けて空前の規模となり、それを鎮圧するのに赤軍の正規軍が投入されました。なかでもマフノの反乱とアントーノフの反乱は有名です。

（２）都市労働者・市民の不満：市場は公式には廃止されていましたが、ほとんどの都市で闇市が黙認されていました。民衆は闇市や近郊の農村への買い出しで、物品交換によって食糧などを手にいれていました。

1920年夏、突如ペトログラード権力の長であるジノヴィエフが、「いかなる種類の商取引をも禁じる」という布告を出しました。このことによって、もはや住民の工夫によって飢饉を回避する手立てがなくなりました。

1921年初頭から深刻な飢餓状態が続いていました。更に追い打ちをかけるように、1月21日、政府はモスクワ、ペトログラード、クロンシュタット他の都市でのパンの配給を翌22日から3分の1に減らすという布告を突然し出しました。

これによって民衆の行動に火がつけられ、1月末から3月中旬にかけてストライキ、飢餓行進、工場占拠などが毎日続きました。最盛期はモスクワでもペトログラードでも2月末から3月初めでした。

3月7日、クロンシュタットに対して赤軍の砲撃が開始された日、ペトログラードではプチロフ、バルチスキー、オブホフ、ニェフスカヤなどの最大規模の工場でストライキが続行されていました。

(3) 共産党内部の対立：党中央の寡頭支配に対する「労働者反対派」といわれるグループから「労働者民主主義の徹底化」の要求が出されるなど、党は分裂の危機にさらされました。クロンシュタットでは共産党員が大量に離党しました。

2　反乱

共産党政府は兵士による将校の選出という10月革命以来の赤軍の原則を廃止し、完全な階級制を導入しました。しかし、海軍では、水兵達は革命によって彼らが勝ちとった民主的権利の多くを保持していました。それに、海軍では将校の大部分はすでに白軍側に移ってしまっていました。

クロンシュタットの水兵たちの要求は、１９２１年２月28日戦艦「ペトロパヴロフスク」の艦隊乗組員総会で採択された15項目の決議に表されています。この決議が反乱の政治的綱領となりました。

「ペトロパヴロフスク綱領」のうちの幾つかをあげてみますと、

①ソヴィエト再選挙の即時実施。現在のソヴィエトは、もはや労働者と農民の意志を表現していない。この再選挙は、自由な選挙運動ののちに、秘密投票によって行われるべきである。
②労働者と農民、および左翼社会主義政党にたいする言論と出版の自由。
③労働組合と農民組織にたいする集会結社の権利およびその自由。
⑤社会主義諸政党の政治犯、および投獄されている労働者階級と農民組織に属する労働者、兵士、水兵の釈放。

⑨危険な職種および健康を害する職種についている者をのぞく、全労働者への食糧配給の平等化。
⑪自ら働き、賃労働を雇用しないという条件の下での、農民に対する自己の土地での行動の自由および自己の家畜の所有権の承認。
（イダ・メット著『クロンシュタット叛乱』原題『クロンシュタット・コミューン』蒼野和人・秦洋一訳　鹿砦社）

これらの要求のうち最も重要なものは①ソヴィエト再選挙の即時実施に他なりません。クロンシュタットの水兵達は、10月革命に反対しているのでもなく、労働者・兵士・農民のソヴィエトに反対しているのでもありません。自由で民主的な方法によって、共産党の支配下にあるソヴィエトを労働者・兵士・農民の手に取り戻したいという切実な要求でした。

3月1日にはクロンシュタットの軍人と市民合わせて1万6000人の大集会が催され、そこでもペトロパヴロフスク決議が採択されました。3月2日に催されたクロンシュタット・ソヴィエト代議員大会でも圧倒的多数で前記の決議が採択されるとともに、臨時革命委員会の設置が決定され、市と要塞の行政権が委託されました。

クロンシュタットの水兵達は、初めから共産党政府に対して武装蜂起を計画していたわけではありりません。レーニンは「白衛軍の将軍どもが――諸君はみなそれを御存知であるが――ここで大きな役割を演じたことは疑いない。それは完全に立証されている」（１９２１年３月８日「ロシア共産党第10回大会への報告）と非難しました。

クロンシュタットの水兵達の中には、エスエル（社会革命党）党員、メンシェヴィキ党員、無政府主義者などが少なからずいましたが、千人以上の共産党員も反乱に加わったとされています。反乱は大衆の自発的蜂起であり、内外の特定の政党や政治勢力の働きかけ、工作、組織的支援などによるものではありませんでした。

レーニンもトロツキーも、この反乱が「白衛軍の将軍ども」の指導によるものではないことを知りぬいていたはずです。

クロンシュタットの水兵達の要求は全くまともなものでしたが、共産党一党の独裁政権としては絶対に受け入れ難い要求でした。レーニンら共産党幹部は自分達の志向する路線を実現するためには共産党一党独裁を死守せねばなりませんでした。

単にクロンシュタットの反乱軍の要求のみでなく、全国に広がっている共産党政権に対する要求や異議申し立てに対処するためにも、ペトロパヴロフスク決議を受け入れることはできませんでした。

権力を維持するためには、いかなる手段にも訴える用意があることを示し、中央政府に反抗するとどのような報復を受けるかということの見せしめを行い、政権に絶対的に服従する必要性を全ての民衆に対して教訓として教え込むことが企図されていました。

共産党政権は、周到な準備のうえ、反乱鎮圧に第7軍司令官トゥハチェフスキー将軍を任命しました。当初赤軍の中にも攻撃を拒否する部隊があったり、戦闘中に反乱軍側に寝返る兵士がいたりして、クロンシュタット攻略は計画通り進みませんでしたが、3月16〜17日に総攻撃が敢行され、双方多くの死傷者を出して18日には反乱は鎮圧されました。

既にロシア全土で広く行われてきた共産党政権による暴力的な政治手法は、「革命の主体の変質をもたらし、社会革命の形骸化のうえに革命本来の思想とは何の共通性をももたない独裁政治体制を維持・発展させることにのみ貢献したのである」。（イダ・メット『クロンシュタット叛乱』）

3　戦闘による死傷者と反乱鎮圧後の弾圧

反乱側が堅固な要塞に立てこもっているのに対して、赤軍は凍結したフィンランド湾の雪原から攻撃せざるをえなかったため、後者の方が多くの死傷者を出しました。幾つかの資料によると、赤軍の死傷者は２５００人という報告から２万５０００人という報告までであります。この地域に通じているヴィボルグ駐在のアメリカ領事ハロルド・クォートンによれば、赤軍の死傷者1万人、反乱側の死者600人、負傷者1000人以上というあたりが妥当な数ではないかとしています。

1997年に公刊された資料によると（『クロンシュタット　1921　史料』、モスクワ）、1921年4月～6月の死刑2103人、強制収容所への収監6459人でした。

クロンシュタット陥落直前に約8000人（少数の水兵と一般市民の最も活動的な人々）が凍結したフィンランド湾を渡ってフィンランドへ逃げこみましたが、彼等の多くは強制収容所に送られました。北極圏に近いホルモゴールイ収容所へ送られた5000人のクロンシュタットの拘留者のうち、翌年の春まで生き延びた人は1500人以下だったとされています。この処罰は共産党権力に反抗する人々に対する見せしめとしての「粛清」です。

4　新経済政策（NEP）への転換と政治的抑圧の強化

クロンシュタットで赤軍と反乱軍が闘っている最中の3月8日から16日、第10回ロシア共産党大会が開かれ、新経済政策（NEP）への政策の転換が決められました。この政策は経済の再建のために、一定の市場経済の導入を許容するものです。最も代表的なものとして、国家が農民から農産物を徴収する方法を、農民の強い反抗を招いた「割当徴発制度」から「現物税制度」に切り替えることでした。「現物税制度」では税金として一定量の農産物を現物で納め、農民の手許に残った農産物は地方市場で自由に売買することを認めることです。

この他に、家内工業や小工業、商業などの国有化政策を取りやめ、私企業としての経営が認められることになり、また国営企業への独立採算制の導入や資本主義国との交易も決められました。

政治的には共産党一党独裁の体制は一層強められました。

１９２１年３月から６月の間に２０００人のエスエル、メンシェヴィキ、無政府主義者などの社会主義的活動家が逮捕され、メンシェヴィキ党中央委員全員が投獄され、そのうち12人の指導者は国外追放となりました。共産党第10回大会で、党内での分派を形成することが禁止となり、「労働者反対派」は異端とみなされ、解散を命じられました。このように、外部に対して独裁的な党では、内部＝党内の民主主義も失われるのです。

参考文献

①　イダ・メット著『クロンシュタット叛乱』　蒼野和人、秦洋一訳　鹿砦社
②　アヴリッチ著『クロンシュタット　１９２１』　菅原崇光訳　現代思潮社

第十章　レーニンの国家論・革命論・プロレタリア独裁論

レーニンは、国家は階級的支配のための機構であり、ことに国家権力の本質は、軍隊・警察・監獄などに代表される暴力装置であるととらえました。

ブルジョア民主主義はその形態のいかんにかかわらず、全てブルジョアジーの独裁であるとみなしました。このことから、被抑圧階級の解放は暴力革命なしには不可能であるばかりでなく、さらに支配階級によってつくられた国家機構を破壊することなしには不可能であると判断しました。

このような理由から、資本主義社会から共産主義社会への移行期の政治形態は唯一つ「プロレタリア独裁」であると断定しました。「独裁は直接暴力に立脚し、どんな法律にも拘束されない権力である」とは独裁者の恐ろしい考えです。

レーニンの国家論・革命論・プロレタリア独裁論を彼の代表的著書『国家と革命』（１９１７年８～９月に執筆、国民文庫　１０２）を中心に見てみましょう。

1　国家および国家権力

①「国家は、階級的支配の機関であり、一階級が他の階級を抑圧する機関である」
②「国家は……最も勢力のある、経済的に支配する階級の国家である」
③「国家とよばれる『権力』……は、主として何にあるのか。それは監獄等を意のままにする武装した人間の特殊な部隊である」
「常備軍と警察とは、国家権力の主要な力の道具である」
（①、②、③ともに『国家と革命』（「国民文庫」102　大月書店）より引用）

〈**批判**〉

②については概ね異論はありません。しかし、①、③については異議があります。

（1）資本主義社会においては、国家の最大の役割は、労働者階級を抑圧することではなく、資本主義的経済活動の維持・発展をはかることです。

一般にインフラ（インフラストラクチャ）と言われる経済活動の基盤（治安・交通・運輸・通信・金融、エネルギー・水の供給体制等々）とともに労働者・一般市民の生活基盤（前記の因子に加えて、住宅、教育・医療・年金・介護などの社会保障制度等など）の整備・充実をはかることです。

（２）レーニンは国家権力の本質を物理的な暴力機構としてとらえています。しかし彼の国家権力に関する見解は、あまりにも暴力機構を過大視した見方です。支配者が法や政策を執行する際に、強制力としての暴力機構を背景としていることは確かです。しかし、支配者が警察・常備軍・刑務所などの物理的暴力に訴えるのは最後の手段です。資本主義社会という階級社会にあっても、資本家階級と労働者階級の関係は、支配と服従という一方向的関係のみではありません。資本主義社会の労働者は古代社会の奴隷や中世の農奴とは違います。

両者は経済的に支配・被支配の関係にあり、矛盾をはらみながらも、同時に相互依存関係にあります。資本主義的生産関係は資本家階級の力のみでなく、労働者階級の自発性によっても支えられています。

そもそもマルクスが『資本論』の完成に全力を傾注しなければならなかったのは何故でしょうか？現存する資本主義社会の存在理由を解明することなしには、この社会を根底から変革することはできないと考えたからではありませんか？

2　全てのブルジョア国家はブルジョアジーの独裁である

「ブルジョア国家の形態はさまざまであるが、その本質は一つである。これらの国家はみな、形態はどうあろうとも、結局のところ、かならずブルジョアジーの独裁なのである」。(『国家と革命』)

〈批判〉

この考えは誤りです。このようなブルジョア国家に関する誤った考えは、自由主義国家と民主主義国家（自由民主主義国家）の相違を正しく理解していないことからきていると言えます。

１６８８～１６８９年のイギリスの名誉革命や１７８９年に始まったフランス大革命など、近代初期の封建制あるいは絶対王制を倒したブルジョア革命は、多くの場合ブルジョア「民主主義革命」と呼ばれていますが、正しくはブルジョア「自由主義」革命です。自由主義国家では、支配階級である資本家階級の成員にのみ参政権が与えられ、労働者階級や一般民衆は政治から排除されていました。従って自由主義国家における政治は、資本家階級内の民主主義であり、それ以外の階級に対しては資本家階級の独裁であったということができます。

これに対して、その後、先進資本主義諸国で取り入れられるようになった「民主主義」ないし「自由民主主義」の国家では、被支配階級である労働者階級を含む一般民衆にも参政権を与え、利害の異なる階級を包容する制度が生まれたのです。

１８７０年代にイギリス、フランス、ドイツで殆んど時期を同じくして、成人男性に普通選挙権が与えられました。このような政治制度は、社会の基底に経済的不平等や抑圧があるにしても、階級間民主主義が生まれたことにより、その政治は資本家階級の独裁ではなくなりました。

レーニンのブルジョア民主主義＝ブルジョア独裁という考えは、ブルジョア自由主義＝ブルジョア独裁という考えをそのまま延長したものといえます。

自由主義国家と民主主義国家との相違については、資料８（後掲）をご参照ください。

３　労働者階級の解放と暴力革命

「被抑圧階級の解放は、暴力革命なしには不可能なばかりでなく、さらに、支配階級によってつくりだされ（た）……国家権力機構を破壊することなしには不可能である」。（『国家と革命』）

〈**批判**〉

（１）被抑圧階級＝労働者階級の解放は暴力革命なしには不可能であると決めつけることは誤りです。

権力獲得や権力維持は暴力闘争によってのみ実現されるのではありません。ロシア革命においても、労働者階級のストライキ、ことにゼネスト、大規模な集会やデモンストレーションなどの「非暴力的・直接行動」による「異議申し立て」も革命の大きな力になりました。

権力獲得とともに権力の維持についても、ひたすら暴力によって権力の維持をはかるのではなく、革命政権の思想や政策について言論を通して、思想闘争、理論闘争を行い、広く労働者・民衆に訴える必要があります。

ロシアにおける1917年2月革命は、女性労働者の「パンをよこせ」デモに始まったと言われています。労働者・民衆は武力を用いずに、専制政府の軍隊に反乱を起こさせ、その多数を味方に獲得することにより、専制政権を倒したのです。

（2）平和革命の可能性はマルクスの時代から追求されてきました。前記のように、1870年代にイギリス、フランス、ドイツで成人男性に、普通選挙権が与えられたことに関し、マルクスは「普通選挙権を含めて、プロレタリアートに自由になるようなあらゆる手段で努力しなければならないこと、このことによって、普通選挙権は、これまでのような欺瞞の用具ではなくなって解放の用具に転化すること」（マルクス・エンゲルス全集　19～235）と表明しました。

そして、マルクスは平和革命の可能性について次のように述べています。「たとえばイギリスでは、政治的な力を発揮する方法は労働者階級に解放されています。平和的な煽動のほうが敏速かつ確実に仕事をなしとげうるところでは、蜂起は狂気の沙汰です。フランスでは、多数の弾圧法規と諸階級間の和解しえない敵対とが、社会戦争の暴力的解決を必然化しているように思えます。その解決の選択はその国の労働者階級の問題です」。(『ザ・ワールド』紙通信員とのインタビュー　全集17～611)

(3) 労働者階級は資本家階級を暴力的に打ち倒せば、資本主義的生産関係から解放されるわけではありません。

「マルクス主義は科学的社会主義か」の章でも引用しましたが、マルクスは次のように述べています。

「この共産主義的意識の大量的な産出のためにも、また事業そのものの貫徹のためにも、人間の大量的な変化が必要であり、そしてこれはただ実践的な運動すなわち革命においてのみおこりうるのである。

だから革命が必要であるのは、たんに支配階級が他のどんな方法によってもうちたおされないからだけではない。さらにうちたおす階級がただ革命においてのみ、一切の古い汚物をはらいのけて社会の新しい樹立の力をあたえられるようになりうるからである」。(『ドイツ・イデオロギー』マル

クス、エンゲルス共著　１８４５年　古在由重訳　岩波文庫）
労働者階級が革命の中で「自己変革」を遂げることなしには、新しい社会を創ることはできないと述べています。

４　独裁（プロレタリア独裁）と暴力

すでに１９０６年に、レーニンは「独裁と暴力」に関して次のように述べていました。

「独裁という科学的概念はなにものにも制限されない、どんな法律によっても、絶対にどんな規定によっても束縛されない直接暴力に依拠する権力以外のなにものも意味しない」。（『カデットの勝利と労働者党の任務』）

「独裁」という政治的統治形態に関する概念を「独裁という科学的概念」であるという、信じられないような概念規定をしたうえで、それを科学の名によって正当化しようとする乱暴な論理です。

そして、１９１８年11月、内戦の最中に次のように述べました。

「独裁は直接に暴力に立脚し、どんな法律にも拘束されない権力である。プロレタリアートの革命的独裁は、ブルジョアジーにたいするプロレタリアートの暴力によってたたかいとられ維持される権力であり、どんな法律にも拘束されない権力である」。(『プロレタリア革命と背教者カウツキー』、『レーニン選集』第9巻　プログレス出版所　P24)

〈**批判**〉

いかなる革命政権といえども無制限の暴力の行使が許されてよいはずはありません。もしも独裁政権が自分自身の行為に歯止めをかける規範をもたないとすれば非常に恐ろしい恐怖政治です。独裁政権が実施する政策や行動はすべて暴力によって推し進められるわけではありません。革命における独裁政権の政策や行為・行動は、旧社会の法律や秩序や慣習から逸脱せざるをえない場合が少なくないでしょう。しかし、革命政権の行為は、革命の理念に則るものでなければなりませんし、人道的・人倫的規範にそむくものであってはなりません。そもそも、人が人を支配する階級社会をなくすことを目指す革命運動が独裁制を取ること自体が自己矛盾であることを自覚しなければなりません。目的が正しければ、いかなる手段を用いることも許されるという考えは誤りです。

5　プロレタリア独裁の期間について

①「一階級の独裁は、資本主義と無階級社会、共産主義とをへだてる歴史的時期全体にも、必要ということを理解した人だけが、マルクス国家学説の本質を会得したものである。……資本主義から共産主義への移行は、……本質は不可避的にただ一つ、プロレタリアートの独裁であろう」（レーニン『国家と革命』）

ここで、「一階級の独裁」とは労働者階級の独裁を意味しています。

②「資本主義から共産主義への移行の時期は……不可避的に未曽有に激しい階級闘争の時期であり、……この時期の国家もまた、不可避的に新しい型の民主主義的（プロレタリアと無産者一般にとって）、また新しい型の独裁的な（ブルジョアジーにたいして）国家でなければならない」

〈批判〉

（1）もう一度「プロレタリアートの革命的独裁」の意義について考えてみましょう。

絶対王政や封建制を倒したブルジョア革命は少数者（資本家階級）による多数者（労働者階級）の支配という新たな階級社会を生み出しました。

これに対して、労働者階級によるプロレタリア革命は、少数者による支配に代わって圧倒的多数者による支配を実現しようとする革命です。この革命において、労働者階級の権力が安定しない時期に、一時的に労働者階級がとる独裁体制が「プロレタリア独裁」です。

しかしこのことは、労働者階級の資本家階級に対する支配を永続化することが目的ではありません。多数者である労働者階級による少数者である資本家階級に対する支配はできるだけ一時的、短期的であることを目指すべきです。なぜなら、この革命の目的が、労働者階級の資本家階級からの解放、労働の資本からの解放を通して、人が人を支配するという階級社会をなくし、人類全体を解放することを究極の目的としているからです。

(2) プロレタリア独裁の期間における「プロレタリア民主主義とは」

既に述べたように、レーニンは独裁体制を続ける期間を「資本主義から無階級社会＝共産主義社会とをへだてる歴史的時期全体」にわたって必要であると述べています。

この期間の国家は労働者階級と無産者一般に対しては民主主義的であるが、資本家階級に対しては独裁的でなければならないとしています。つまり旧資本家階級には政治的権利を与えないということです。

革命の激動期には資本家階級を政治から排除せざるを得ない場合が多々あると思われますが、共産主義社会（第一段階としての社会主義社会の直前まで）においても旧資本家階級を政治的に無権利状態におくことは誤った考えだと思います。

資本主義社会から共産主義社会への移行期間は、資本主義社会の復活を抑圧するだけでなく、新たな共産主義社会への準備期間であり助走のための時期でもあります。

6　プロレタリア独裁における共産党一党独裁と個人独裁

①「ソヴィエト的（すなわち、社会主義的）民主主義と個人が独裁的権力を行使することのあいだにはどのような原則的矛盾もけっしてないのである」。（レーニン『ソヴィエト権力の当面の任務』レーニン全集27巻、２７１頁、１９１８年）

②「マルクス主義が教えるところに……よれば、労働者階級の政党、すなわち共産党だけが、……プロレタリアートおよび勤労大衆全体の前衛を統合し、育て、組織することができるのであって、この前衛党だけがプロレタリアートを指導し、プロレタリアートを通じて勤労大衆全体を指導することができるのである。これなしには、プロレタリアートの独裁は実現できない」。（レーニン、１９２１年３月、「ロシア共産党第10回大会」）

〈**批判**〉

プロレタリア独裁は唯一の前衛党である共産党の指導なしには実現できないとし、また個人独裁もありうるが、ソヴィエト民主主義と矛盾しないと主張しています。

「マルクス主義が教えるところ……によれば」とレーニンは述べていますが、マルクス自信は共産党だけがプロレタリアートを指導しうるというようなことは述べていません。

労働者階級が特定の政党の指導のもとにおかれ、状況によっては個人独裁もありうるということは、労働者階級が一党独裁の政治体制のもとに置かれるということです。共産党と思想や路線の異なる政党や政治グループ、あるいはそれらに同調する労働者・民衆の政治活動が認められないこと（複数政党制の否定）になり、労働者階級内の民主主義が踏みにじられ、労働者階級の分断を生みだすことになります。

事実、ロシア革命におけるソヴィエト民主主義はボリシェヴィキ（共産党）一党独裁のもとで形骸化しました。一党独裁に反対するクロンシュタットの反乱やマフノの反乱などが起きました。レーニン死後スターリンの個人独裁を生み。ソヴィエト権力は腐敗していきました。

7　議会制度の廃棄

レーニンはマルクスの次の文を引用しながら、議会制度の廃棄を正当化しようとしています。

「コミューンは、議会ふうの団体ではなくて、執行府であると同時に立法府でもある行動的団体でなければならなかった」。（マルクス『フランスの内乱』１８７１年）

「議会制度のない民主主義を考えることはできるし、また考えなければならない」（『国家と革命』第3章の③「議会制度の廃棄」）とレーニンは主張しています。

議会制民主主義は民主主義の最も根本的な基礎であると考えられます。従って、独立した立法府としての議会制度の否定は民主主義の否定です。

マルクスの文の意義については、第Ⅱ編第十二章「パリ・コミューンについてのレーニンの誤った理解」（後掲）をご参照ください。

レーニンにとっては、独裁政治を進めていく上で、独立した立法府としての議会の存在とそれに基づいた議会制民主主義は邪魔物だったと考えざるをえません。

実際、１９１７年10月革命後ロシアで初め行われた普通選挙で選ばれた議員による「憲法制定会議」は、たった1日でレーニンによって解散されてしまいました。

それ以降、ロシアでは普通選挙に基づいた議会制民主主義の道は閉ざされていました。労働者階級および一般民衆の重要な政治参加の手段が奪われたのです。

8　プロレタリア独裁期における「自由」の否定

①「国家は、闘争において、革命において、敵を暴力的に抑圧するためにもちいる過渡的な施設にすぎないのですから、自由な人民国家をうんぬんするのは、まったくの無意味です。プロレタリアートがまだ国家を必要としているあいだは、自由のためではなく、その敵を抑圧する為に必要としているのであって、自由を論ずることができるようになるやいなや、国家としての国家は存在しなくなります」（１８７５年3月「エンゲルスからベーベル宛ての手紙」）

②「こんにちの情勢のもとで、平等・自由・民主主義について論じるのは、たわごとである。われわれの目標は階級を廃絶することである」（レーニン「労働組合第３回全ロシア大会での演説」全集　第30巻、２０３頁）

〈**批判**〉

レーニンはエンゲルスの考えを引用して、プロレタリア独裁期には労働者・民衆は自由を論じることはできないと述べていますが、これは明らかな誤りです。

革命政権＝労働者国家の主要な仕事は、敵階級＝資本家階級を「暴力的に抑圧する」ことではありません。それと同時に、労働者階級自らの解放という大きな事業があるはずです。労働者解放の事業は資本家階級を完全に撲滅した後に開始されるというものではありません。

最も根本的なことは、資本主義的生産関係を克服することです。資本家階級を「暴力的に抑圧」すると述べられていますが、資本家階級を暴力的に撲滅することではなく、できる限り非暴力的に資本家階級を社会的に包摂し、資本主義社会の復活を抑制することが重要だと思います。

革命の初期には、革命権力は資本家階級との激しい攻防を強いられるかもしれませんが、革命政権が次第に力をつけ、安定した場合には、敵階級を抑圧する闘いに割くエネルギーの比率はしだいに少なくなっていく筈です。状況に応じて社会の民主主義と自由をしだいに拡大していけるはずですし、拡大しなければなりません。

プロレタリア国家が存在している間は自由を論ずることができないなどということは欺瞞です。「プロレタリア民主主義は、あらゆるブルジョア民主主義の百万倍も民主主義的である。ソヴィエト権力はもっとも民主主義的なブルジョア共和国の百万倍も民主主義的である」（レーニン『プロレタリア革命と背教者カウツキー』１９１８年11月）とレーニンは豪語しましたが、標準的なブルジョア共和国よりもはるかに非民主的ではありませんか？

9　全人民的な国家的「シンジケート」における労働

「計算と統制――これが、共産主義社会の第一段階を『軌道にのせる』ために、これを正しく機能させるために必要とされる主要なものである。ここでは、すべての市民は、国家――武装した労働者がそれである――に雇われる勤務員に転化する。すべての市民が、一つの全人民的「シンジケート」の勤務員と労働者になる。社会全体が、平等に労働し平等に支払いをうける。一つの事務所と一つの工場になるだろう」。(『国家と革命』)

〈**批判**〉

ここでは、共産主義社会の第一段階（社会主義社会とも言われています）を想定しているようです。通常この段階では、労働者階級と資本家階級の区別も両階級の対立もなくなっていることになっていますが、ここではまだ武装した労働者から成る国家が存在しているということが理解できません。

全ての市民はただ一つだけある経済組織で労働することを義務付けられるとともに、平等に働き平等に支払いを受けるということは、超中央集権的経済システムであり、個人の能力や多様性を無視した全体主義国家です。

労働能力に違いのある人々が、平等に働くということは困難です。従って、平等に支払いを受けることも矛盾しています。マルクスは、共産主義の第一段階では、人々は能力に応じて働き、労働の長さによって生活物資を受け取ることを準則とするとしています。

資料8

①自由主義革命と民主主義革命について

「ブルジョア革命を民主主義革命とする誤解が広く行き渡っているが、史実が示すように、ブルジョア革命の歴史的性格は、自由主義国家を創建する自由主義革命であった。イギリスやフランスの典型的なブルジョア革命も、民衆的急進勢力の民主主義思想・運動を一翼としていたが、革命の勝利とともにそれを圧殺したのであったし、民主主義国家を創立したのでは決してなかった。自由主義国家の民主主義的改革としてブルジョア民主主義が制度化されたのは、ブルジョア革命から、イギリスでは2世紀、フランスでは半世紀を経た近代史の新段階においてであった。従って、ブルジョア革命独裁は、民主主義が制度化される以前の独裁であり、非ないし反民主主義でしかなかった」。(大藪隆介『国

家と民主主義』第一編第四章　Ｐ１０７～１０８）

②「自由主義」については、第Ⅰ編第四章「マルクスと自由」の「５『自由主義』の唱える自由とは」をご参照ください。

第十一章　レーニンの「自由」と「平等」に関する考え

1　平等について

「生活手段の所有に関する社会の全成員の平等、すなわち労働の平等、賃金の平等が実現されるや、ただちに人類のまえには、形式的な平等から実質的平等に向かって、すなわち『各人はその能力に応じて、各人はその必要に応じて』という準則の実現に向かって前進する問題が不可避的に現れる」。（レーニン『国家と革命』）

「労働の平等、賃金の平等」とは何を意味するのでしょうか。マルクスは、共産主義社会の第1段階では、能力に応じて働き、労働時間の長さによって生活に必要な物資を得ることを規則とする、と述べていますが、労働の平等、賃金の平等とは述べていません。

社会の個々の成員の間に労働能力の差異があり、また労働の種類が異なる以上、一律平等な労働を義務づけることは不可能です。そこで、「各人はその能力に応じて」働くということになるわけです。マルクスは労働の平等な評価方法として単純明快な「労働の時間的長さ」(労働の強度を加味した)を用いるべきであると述べています。従って、労働時間が異なれば賃金(貨幣に代わる労働証書)の額も一律ではありません。

次に「形式的な平等から実質的平等にむかって……」と述べられていますが、「実質的平等」の実現とは具体的に何を意味するのでしょうか。多様な個性・多様な能力を持った諸個人にとって「実質的平等」という概念は成り立ちません。共産主義社会の高い段階では、「各人はその能力に応じて働き、各人はその必要に応じて取得する」という準則が可能になるとされてきました。しかしこのことは実質的平等の実現ではなく、自由の実現を意味していると考えられます。あえていえば、選択の自由が各人に平等に与えられるといえるのかもしれません。

2　過渡期社会における自由について

次に過渡期社会における「自由」についてのレーニンの考えをみてみましょう。

エンゲルスからベーベル宛ての手紙を引用して、

①「プロレタリアートがまだ国家を必要としているあいだは、プロレタリアートはそれを自由のために

ではなく、その敵を抑圧するために必要とするのであって、自由について語られるようになるやいなや、国家としての国家は存在しなくなります」（1875年3月、エンゲルスからベーベル宛ての手紙）

②「国家が存在するあいだは、自由はない。自由があるときには国家は存在しないであろう」（『レーニン『国家と革命』）

③「こんにちの情勢のもとで、平等・自由・民主主義について論じるのは、たわごとである。われわれの目標は、階級を廃絶することである」（レーニン「労働組合第3回全ロシア大会での演説」全集 第30巻、203頁）

前の3つの文から判断すると、レーニンの考えでは、革命の激動期のみでなく過渡期全般にわたっても、プロレタリアートにとって平等・自由・民主主義について論じる権利はないということです。彼は、共産主義社会が達成されるまでは、労働者階級や一般民衆に自由を容認することは、ブルジョア的自由あるいはプチブル的自由を容認することと同じことであると考えたものと思われます。どこかの国で、戦時中叫ばれた「欲しがりません、勝つまでは」という国民に対する命令と同じです。

これでは、資本主義社会よりもはるかに自由のない、抑圧された生活を強いられることになります。そこからは、自由な未来社会が見えてきません。たとえ過渡期であっても、その時の状況に応じて、ブルジョア的自由を超えた自由の実現に心をくだくべきでした。

第十二章　パリ・コミューンについてのレーニンの誤った理解

マルクスは、１８７１年に起きたパリ・コミューンの闘いの過程を反省し、革命権力の組織形態について、『フランスにおける内乱』（１８７１年）の中で、「コミューンは議会ふうの機関ではなくて、同時に執行し、立法する行動的機関でなければならなかった」と述べました。このマルクスの提言に関し、レーニンは次の二つの誤った考えを導き出しました。

①パリ・コミューンを史上初の「プロレタリア革命」であり、短期間ながら、そこに現出した民衆の権力を「プロレタリア独裁」であると誤解しました。

②コミューン型国家に関するマルクスの「同時に執行し、立法する行動的機関でなければならなかった」という提言を革命権力の政治形態の一般的原則であると誤解したのです。

1　パリ・コミューンのめざした闘いは何であったのか

パリ・コミューンの闘いは、ナポレオン3世の帝政によって奪われたパリ市の自治権を奪回して「自由都市パリ」になることであり、フランスが共和制をとりもどすことでした。パリ・コミューンの闘いの底流には自治と分権を求める民衆の運動がありました。従ってパリ・コミューンは革命には違いありませんでしたが、全国的な労働者階級の社会主義革命を目指した革命闘争でもなければ、労働者階級によるプロレタリア独裁政権でもなかったのです。（第I編第十一章「プロレタリアート独裁とマルクス」をご参照下さい。）

前記のマルクスの提言は、人口約２００万人のパリ市の評議会、市政府に関するものであって、フランスの全国評議会や国家政府に関するものではありませんでした。

ところがレーニンは、パリ・コミューンを全国的な労働者階級の革命運動が生み出した労働者階級の革命政権＝プロレタリア独裁であるとみなしました。

例えば「コミューンはプロレタリアートの独裁であった」。（レーニン「古いものの崩壊におびえる人々と新しいもののためにたたかう人々」〔全集第26巻、４１１頁〕）

2　マルクスの提言の真意

マルクスが、「コミューンは議会ふうの機関ではなくて、同時に執行し立法する行動機関でなければならなかった」という提言は、パリ市という限定した地域において、非常事態に際し、刻々変化する状況にコミューンが迅速に対応するために、一時的に取るべき統治形態を意味していました。

ところがレーニンは、プロレタリア革命政権である「コミューン型国家」は、ブルジョア国家の独立した立法機関である議会を廃棄し、「立法権力と執行権力を統合した行動的機関であるべきである」と理解したのです。このことはマルクスの意図とは全く違っています。

マルクスの言う「コミューンは同時に執行し立法する行動機関でなければならなかった」ということの意味を、レーニンは恒常的な原則であると理解したのです。権力分立を否定し、立法権力と執行権力を統合した極度に集権的な機関がプロレタリア革命権力の政治形態としてふさわしい「コミューン型国家の原則」であると考えたのです。

レーニンは『国家と革命』第3章の3「議会制度の廃棄」で、次のように述べています。「議会制度からの活路は、もちろん、代議機関と選挙制の廃棄にあるのではなく、代議機関をおしゃべり小屋から「行動的」団体へ転化することである。……議会制度のない民主主義を考えることはできるし、また考えなければならない」。

レーニンは、独立した立法機関である議会をブルジョア民主主義のみでなくプロレタリア民主主義にとっても不必要な存在とみなしていたことが分かります。

3　レーニンによる独立した立法機関の廃止

レーニンは実際にロシア革命のなかで「同時に執行し立法する行動機関」を実現しました。憲法制定会議の解散によってソヴィエト政権には独立した立法機関はなくなりました。

１９１７年10月、ボリシェヴィキは２月革命によって成立した臨時政府から権力を奪取してソヴィエト政権を樹立しました。憲法制定会議の開催は臨時政府の約束でもあり、ボリシェヴィキ自身の第一の政治的スローガンでもありました。

憲法制定会議の議員の選挙は同年11月中旬以降にロシア史上最初の普通選挙として行われ、１９１８年１月５日に憲法制定会議は招集されました。しかし、この会議がソヴィエト政権に対して敵対的な存在であるとみるや、レーニンはその日のうちに会議を解散させてしまいました。

独立した立法機関としての議会の存在を否定し、立法と執行を同一機関内に統合する政治形態を恒常化させることは独裁的政治体制です。

レーニンはソヴィエトの中に独裁体制をもちこんだのです。このことは、ロシア革命の決定的な分岐をなす重大事件でした。（「憲法制定会議の解散」に関する詳細については、第Ⅱ編第六章「１９１７年

10月のロシア革命とはどのような革命だったのか」の3—（1）〔前掲〕をご参照下さい。）
大藪龍介氏は『国家と民主主義』（社会評論社刊　58～59頁）のなかでレーニンの考えについて次のように述べています。

「彼は、パリ・コミューンをプロレアリアート独裁そのものと理解し、しきりに、『コミューンはプロレタリアートの独裁であった』、『まさにプロレタリアートの独裁であったパリ・コミューン』などと確言した。……彼は、パリ・コミューンの名において自らのプロレタリアート独裁論の正当化を図るとともに、プロレタリアート独裁論にあわせてパリ・コミューンを解釈した。また、プロレタリアート独裁国家であることをもって、ソヴェト権力をパリ・コミューンとの直接的後継関係に置いて聖化した。『ソヴェト運動は、……社会主義革命の世界的発展における第2歩となった。その第1歩はパリ・コミューンであった。パリ・コミューンは労働者階級が社会主義に到達するには、独裁を通じるほかなく、搾取者の暴力的弾圧を通じるほかはないことを示した』。パリ・コミューンをプロレタリアート独裁の原型に仕立てることによってまた、レーニンは、公安委員会型国家であるソヴェト国家を、パリ・コミューン型国家と誤信したのであった」。

第十三章　「旧ソ連」とは何だったのか？

「ソ連型社会主義」の国家あるいは社会は一体何だったのでしょうか？

このことに関してはソ連の形成期から多くの人々により延々と論争が戦わされてきました。ソ連は「国家社会主義だ」、「国家資本主義だ」、いや違う「国家独占資本主義だ」、「堕落した労働者国家だ」、「開発独裁だ」等など、ソ連が属すべき様々な概念が提起されました。

しかし私には、そのどれも納得いくものではなく、既存の特定の概念にあてはめることは難しいと思われました。

明らかなことは、旧ソ連は「社会主義国」でもなければ、「資本主義国」でもなかったということと、一種の階級社会であったということです。

1　旧ソ連邦の構成国と衛星国

「旧ソ連」または「ソ連邦」の正式な名称は「ソヴィエト社会主義共和国連邦」です。この連邦は強大な「ロシア共和国」(正式名称はロシア・ソヴィエト連邦社会主義共和国)を盟主としてウクライナ、ベラルーシ、モルドヴァ、ウズベキスタン、バルト三国など15の共和国から構成された多民族国家でした。ついでに述べますと、ロシア共和国自体が自治共和国16、自治州5、民族管区10からなる連邦国家でした。

また、第2次大戦後、ソ連の支配下に置かれたポーランド、東ドイツ、ハンガリー、チェコスロバキアなど東欧8カ国にも、ソ連型社会主義体制が押し付けられました。これらの国々はソ連邦の構成国ではありませんでしたが、ソ連の衛星国と呼ばれ社会主義圏を構成していました。

ここでは、ソ連が約70年間保ってきた社会体制を、思想や理論については「ソ連型社会主義」と呼び、そのような思想や理論に基づいて形成された社会を「ソ連型社会主義社会」と呼ぶことにします。後者については、一般に「ソ連」又は「ソ連邦」と略すことが多いですが、ここでは「ソ連」と略すことにします。「ソヴィエト」については、註をご覧ください。

2　ソ連邦は「社会主義社会」だったのか

ソ連とは何だったのかということを検討するにあたって、最初にソ連はそもそも社会主義社会であったのか否かという根本的問題にまでさかのぼって考えてみる必要があると思います。

旧ソ連が社会主義社会であったか否かを検討するには、何らかの判断の基準ないし規範が必要です。先に述べたマルクスの協同組合（アソシエーション）を基礎とした社会主義社会の概念を基準として検討することもできますが、まずはスターリンの社会主義宣言の理由を考えてみたいと思います。

１９２２年、内戦がようやく終結し一息ついた頃、ロシア共産党第11回大会で、レーニンは次のように述べました。

「いまわれわれは、社会主義経済の土台を建設する任務に直面している。これはなしとげられたか？　いや、なしとげられていない。わが国にはまだ社会主義の土台はない」。

それから14年後の１９３６年11月、時のソ連共産党書記長スターリンは
「わがソヴィエトは、すでに基本的に社会主義を実現し社会主義体制をつくりだすのに成功した。すなわちマルクス主義者が、別な言葉で共産主義の第一段階あるいは低い段階と呼んでいるものを実現した」。

と宣言しました。

そしてソ連が社会主義社会を実現したとする根拠として次の３条件をあげました。
①生産手段の社会主義的所有、②計画的経済、③労働に応じた所得の分配。
時期を接して、同年12月に制定された新憲法（いわゆるスターリン憲法）では、前記①～③について

次のように述べられています。
①「第5条　ソ連における社会主義的所有は国家的所有と共同組合・コルホーズ的所有のかたちをとる」
②「第11条　ソ連の経済生活は、社会の富の増大、物質的・文化的水準のたえまない向上およびソ連の独立と防衛力強化、国家の国民経済計画によって規定され、指導される」
③「第12条　ソ連における労働は『働かざる者食うべからず』の原則により、労働能力をもつすべての市民の義務であり、名誉である。ソ連においては、『各人は能力におうじて、各人へはその労働に応じて』という社会主義の原則が実現される」
それでは①～③について実態がどうだったのか見てみましょう。

3　生産手段の社会主義的所有について

ソ連では、産業の国有化と農業の集団化により、基本的生産手段の98％以上が社会的所有になったとされました。

しかし、ソ連では、主要な生産手段は国家所有化（国有化）され、それは共産党中央とそれと癒着した政府の中枢部の官僚によって管理されていて、生産の現場で直接働いている労働者には手の届かない疎遠な存在でした。たとえ基本的生産手段の98％が社会的に所有されているといっても、生産手段の管理と現場で働く人々の労働は分離した状態にあったと言わざるをえず、生産手段の社会主義的所有は実現されたとはいえません。

１８４８年に発表された、マルクスとエンゲルス共著の『共産党宣言』の中では、「いっさいの生産用具を国家の手に、すなわち支配階級として組織されたプロレタリア階級の手に集中して……」と生産手段の社会的所有＝国有化を原則としていました。

しかし、１８６０年代になるとマルクスの考えは、生産手段の社会的所有は原則としてアソシエーション（協同組合型の地域組織）の共同所有とし、生産の実施のみならず計画・管理もここが行うべきであるという労働者の自主管理の考えに変わりました。

従って、生産手段の所有は地域あるいは地方の生産点である協同組合（アソシエーション）の共同所有に基づき、そこで働く人々による自主管理が可能でなければなりません。

4　計画的経済について

社会主義経済が計画的経済を最も重要な柱の一つとしていたことは20世紀の社会主義者の間では共

通の認識でした。また後進国ロシアの革命政権が重工業化による経済的自立を必須の課題としたことも一般に理解されていました。第1次5か年計画によって経済の計画化と工業化を現実の政策として進めることになったのです。

（1）5か年計画と農業集団化

1930年前後に、スターリンの独裁体制が確立されました。1929年から「第1次5か年計画」が開始され、1930年を頂点とする「農業集団化」が強行されました。

通説では、ソ連では計画経済により、恐慌や失業のない高い経済成長が維持されてきたとみなされてきました。批判的な評価の場合でも、上意下達の指令型経済で、官僚的な硬直した経済ではあるが、計画経済によって統合されていたと受けとめられていたことが多かったように思われます。

ところが実態は大違いでした。1929年に始まり1987年まで実施された12回の「5か年計画」の多くで目標を達成できませんでした。

計画が達成できなかった要因が多々挙げられています。

（2）中央集権的計画経済

「計画経済」の計画作成、土地と主要な生産手段を国家が所有することを基礎として、経済計画は国家計画委員会（ゴスプラン）を中心に連邦政府が基本計画を作成し、20～30ある工業部門の省がこの計画を執行しました。

各省庁は、「5か年計画」（1929年から開始された）に従って、各年次の詳細な義務指標（ノルマ）を傘下の企業に指令しました。

個々の省には企業を管理する管理局や総管理局が複数置かれ、その下に企業があるというピラミッド型をなすのが一般的でした。

上部からは計画に基づく義務指標（ノルマ）が下され、下部からは生産と供出の達成数字が上げられていきました。

生産に必要な資材の配分も国家の補給機関（ゴスナブ）が割り当てました。資源や資材の価格は需給関係や生産性をあまり反映しない公定価格制によって決められていました。企業が達成した剰余の大部分は国家に吸い上げられて再配分され、赤字企業にも補助金や貸付金が与えられ続けられました。

このような中央集権的計画経済は1970年代の中頃までは成長を続けることができたとされていました。しかし、この制度は多くの矛盾をかかえていました。中央管理省庁での計画作成は細分化されており、情報量が膨大なため、その作業も非常に複雑かつ膨大となり、現場に下される指令を合理的・整合的なものにすることは至難の業でした。しばしば年度の途中で計画が変更されることがあったり、現場の能力では達成不可能なノルマが課せられることもありました。そのため指令を受けた生産現場では、多くの混乱がしばしば発生しました。

（3）上部からの指令に翻弄される生産現場――計画経済の破綻

ノルマをめぐる現場の企業と上部省庁との間で交渉が頻繁に交わされ、生産能力や生産実績に関する嘘々実々の数字がやりとりされることもあったとされています。

企業側が生産能力を低く抑えた場合でも、原材料や燃料が計画通りに供給されず、不足しがちという問題があり、ノルマ達成は容易ではありませんでした。企業は原材料や燃料の不足を避けるため、それらを過剰に確保しようとしたため、不足が一層激しくなることがありました。

原材料や燃料を合法的あるいは非合法的に確保した後、納期に間に合わせるため、短期間に突貫作業で製品を生産しなければならないことがありました。このため、企業は突貫作業を可能にする労働力を確保しておく必要がありました。通常の生産活動には必要のない労働力を抱えておくことは、労働の生産性を低下させるとともに、労働規律の弛緩を招きました。

労働力に対する需要を高め、労働者の「売り手市場」という状況を強め、それがまた労働規律を弛緩させるという悪循環を招きました。酒に酔った状態での出勤や勤務中の飲酒は至る所で見られたとされています。

中央集権的計画経済の試みは一定の経済成長を達成しながらも、官僚的硬直性と非効率性を招き、国民経済の成長の停滞とともに、その体制に対する国民の信頼と協力を失いました。

5　労働に応じた所得の分配――実は賃金格差の拡大と労働の強制

第1次5か年計画の開始に伴い労働力の需要が増大し、以後慢性的な労働力不足の状態が続くことになり、農村から都市へ大量の人口の移動がみられるようになりました。農村から出てきたばかりの労働者は労働生産性と労働規律が低く、かつ職場への定着率が悪いという特徴がみられました。労働者統括のために種々の対策がとられましたが、その代表的なものは賃金政策でした。それは、労働効率の重視と賃金格差拡大でした。

１９３２～１９３３年の一連の法令で、国内旅券制が導入され、ソ連市民は旅券を持たなければ国内を移動することができなくなりました。また旅券に査証を受けた土地にしか居住できなくなりました。しかし、農民には国内旅券が支給されませんでした。農民の都市への流失や逃亡を厳しく規制するためでした。

農民に国内旅券が支給されるようになったのは、１９７４年になってからのことです。

１９３８年12月には労働規律強化政策として「労働手帳制度」が導入されました。１９４０年6月には最高会議幹部会令により「自由な労働移動を刑事罰をもって禁止し」また欠勤にも刑事罰を規定しました。

これらの労働政策は、労働者に残されていた「自由な労働」の余地を削減し、ソ連における労働関係を全体として強制的関係に変化させました。

マルクスが共産主義社会の低い段階と呼んだ社会的発展段階をレーニンは社会主義社会と呼びました。スターリンを含め、ソ連ではそれにならった名称を用いてきました。

マルクスは『ゴータ綱領批判』（１８７５年）という手稿の中で、共産主義社会の低い段階における労働と所得の関係について、「個々の生産者の生活資料を得る権利は、彼が社会に与えた個人的労働量に比例する」と述べています。ここで労働量は基本的に労働の強度をも配慮した労働時間を尺度として評価されるべきであるとしています。

ソ連における「労働に応じた所得の分配」という原則が謳われていますが、「労働」がどのように評価されたのか不明です。マルクスが想定した共産主義社会の低い段階では、基本的に労働時間という単純な尺度によって評価すべきであるとされていますので、個々人の生活資料を得る権利に差はありますがそれほど大きな差は生まれないと考えられます。

しかし、ソ連では、労働効率の重視のため賃金格差の拡大が労働政策として意図的に行われました。それに、ソ連では社会的地位・学歴・職種・経歴等々による給与の格差が大きかったとされています。このような労働の評価方法や労働政策は社会主義的政策ではありません。（第Ⅱ編第十四章「ノーメンクラトゥーラ」をご参照下さい。）

6 農業の強制的集団化

社会主義的農業は大規模集団経営であるべきであるとする通念が早くから確立していました。しかし、10月革命における「土地に関する布告」により、農地の運用は基本的には農村共同体（ミール）にまかされてきました。それに伴って農地は細分化されていました。

１９２１年に採用されたネップ（ＮＥＰ＝新経済政策）以降、農業の集団化はあくまで農民の自発性に基づいて行うとする方針がとられていました。

ところが、１９２８年初めに穀物調達危機に見舞われ、穀物調達を容易にするという国家的要請により、農業集団化が急速にかつ強制的に推進されることになりました。

１９２９年から「農村共同体の決定」という自発的運動の形式をとることによって集団化を促進しよ

うとしました。しかし、その多くは、派遣された共産党活動家による共同体の慣習を無視した強制的なものでした。

全面的集団化にともなって、集団化に反対する者はすべて「クラーク（富農）」と見なされ、クラーク絶滅政策が各地に広がりました。１９２９年12月スターリンによってクラーク絶滅政策は承認され、「階級としてのクラーク絶滅」が党・政府の基本政策となりました。

全面的集団化を穀倉地帯では１９３１年秋までに完了するようにとの党中央の指令が出され、極めて性急に計画が推進されました。

集団化の時期を通して農村外に追放された農民や逃亡した農民は５００～５５０万人に達するとされています。追放されたり逃亡した農民の多くが篤農家でしたから、ソ連の農業はその屋台骨をへし折られた状態になりました。

農業の全面的集団化は農業と畜産に多大の打撃を与えました。ことに大きな打撃を受けたのは畜産で、飼料不足により大量の家畜が死亡しました。

特に遊牧民が強制的に定住させられたカザフスタンにおける家畜の減少は壊滅的でした。

生産が停滞するなかで、国家による農産物の調達は逆に強められたため、農村に残る農産物は急速に底をつきました。

１９３３年から１９３４年にかけてウクライナ、北コーカサス、ヴォルガ河流域、カザフスタンなどで大規模な飢饉が発生しました。この飢饉で４００万人以上の人々の命が失われたことは確かとされています。このことは欧米では知られていましたが、ソ連政府は飢饉という事実そのものを隠ぺいし続け、ペレストロイカによってやっと明るみに出されました。

１９３３年初頭には、農民からの農産物の調達の方法が「穀物の予約買付け制」から「義務納入制」に変更されました。これは固定価格で一定量の穀物を引き渡す義務を意味し、税の性格をもつものです。飢饉の中でも、あくまで穀物調達を確保するという過酷な政策でした。

農業集団化の当初には、交通・通信手段の制約・機械類の不足などもあり、大規模化は進みませんでした。大規模で機械化された農業経営が普及するようになったのは、１９５０~１９６０年代のコルホーズ（農業生産共同組合）とソフホーズ（国営農場）の大規模化を経た後のことでした。

１９６０年代半ば以降は、国家投資全体の20～30％が農業部門に投下されましたが、機械・肥料・飼料・などの質が悪いことも手伝い、農業生産の増加は鈍く生産性は停滞していました。

生産性を高めるための農業政策や指導方針が逆効果となり、農民の生産意欲の減退や労働規律の低下等を招き、１９７３年以降ソ連は恒常的な穀物輸入国となり、１９７０年代後半には食糧事情が悪化しました。

１９２０年代末からの工業化や戦後の復興などにより、農村から都市への人口の流失が続き、ロシア共和国では１９５８年に、ソ連邦全体では１９６２年には都市人口が農村人口を超えました。

「１９２０年代には農村でも水車などによる発電で電灯が灯されたところが少なくなかった。しかし、集団化とクラーク絶滅政策のなかでこれさえ失われたところがおおく、第２次大戦前夜（１９４１年）に電化されていたのは、25のコルホーズに１つだけだったと指摘されている。……戦後復興を経た１９５０年代でも、電化されていたのは約６つのコルホーズに１つだけだったと言われる。電気も水道も電話も通じておらず、公衆浴場も医療所も小学校もない集落は１９６０年代になっても少なくなかったし、実に１９８０年代になっても稀ではなかった」。（松戸清裕著『ソ連史』ちくま新書１４９~１５０p）

レーニンは10月革命後、「共産主義とはソヴィエト権力プラス全国の電化である」というスローガンを掲げ、電化を推進することを強く訴えましたが、電化のみでなく生活基盤となるインフラの整備は遅々としたものであったことが分かります。

このような劣悪な生活環境のなかで、農民はより良い生活をもとめて農村を捨てて都会を目指したのです。

7　新憲法と恐怖政治

選挙制度の民主化、社会的諸権利などが規定された新憲法は、世界で最も民主的な憲法と自賛されました。

この憲法で初めて、選挙制度に欧米で普通選挙権と呼ばれている、普通・平等・直接・秘密の4原則が導入されました。この4原則の導入が可能になったのは、社会主義社会が実現したことにより、国内には階級対立がなくなったためであると説明されました。また、自由権の拡大については、言論・出版・集会・街頭行進および示威運動の自由も規定されました。

ソ連の現実の国家ないし社会体制は2本の大きな柱によって支えられていたと言えます。第1の大きな柱は共産党一党の独裁政治で、第2の大きな柱は、主要な生産手段の国有化に基づいた中央集権的計画（指令型）経済でした。

（1）第1の柱、共産党一党の独裁政治

一党独裁が続くなかで、共産党官僚と国家官僚が癒着、一体化して国家構造を形成しました。国家権力はごく少数の共産党官僚および国家官僚のエリートの手中にあり、彼等が支配階級を形成していました。共産党が持つノーメンクラトゥーラの制度（人事の任命権）によって国家と社会的諸団体の基本的人事が決定され、職種や地位によって所得・待遇・権限などに大きな格差がありました。その社会体制は労働者階級の国家でもなく、全人民の国家でもなく、共産党官僚と国家官僚が支配した階級社会であったということができます。

前記のごとく、スターリン憲法では普通選挙権が与えられたと述べましたが、1選挙区に立候補できるのは政治的に1人にしぼられ、複数の候補者から選択することができませんでした。

言論の自由などの自由権についても、「勤労者の利益に適合しかつ社会主義体制を堅固にする目的で……」という目的条項にかなった場合にのみ許さるという制限されたものでした。従って、選挙とはいえ実質的には共産党が選んだ候補者の信任投票でした。

前記の世界に冠たると自賛された民主的憲法が制定され、民主化が強調される中で、スターリンによる「大粛清」(大テロル)の嵐が吹き荒れました。

「人民の敵」、「反革命分子」、「帝国主義の手先」等などの罪を着せられて、幾百万人もの人々が粛清されたのです。1936年8月の第1次モスクワ裁判で、ジノヴィエフとカーメネフという共産党最高幹部が、「キーロフ暗殺事件」に直接関与したとの罪で死刑になりました。

1937年1月の第2次モスクワ裁判では経済行政の頂点にいたピャタコフらが死刑となり、経済官庁の最高指導者の地位にあったオルジョニキーゼは自死しました。これらの人々が失われたことは、ソ連の経済計画遂行に少なからぬ影響を与えました。

一方赤軍について見てみますと、１９３７年６月トゥハチェフスキー元帥（１９２１年にクロンシュタット反乱を鎮圧した際の最高軍事指導者）をはじめとする上級将校８人が非公開の軍事裁判で死刑となりました。

赤軍の犠牲者は莫大で、５人いた元帥のうち３人が、15人いた軍司令官のうち13人が、57人いた軍団長のうち50人が処刑されました。このような軍の粛清は、１９４１年に始まった独ソ戦において、初期のソ連の敗北の大きな要因となりました。

第２次モスクワ裁判を大粛清の頂点として、１９３８年３月にはレーニンの後継者の一人とされていたブハーリンらが死刑となり、スターリンに対立した反対派狩りが完成したことになります。

１９３８年11月大粛清の収束が宣言されましたが、その後も粛清がなくなったわけではありません。どれくらいの人々が粛清の犠牲になったのかということに関して、確定的な統計は明らかにされていませんが、ペレストロイカの中で明らかにされた統計によりますと、１９３０年代から１９５３年のスターリン独裁の終焉までに、反革命罪で裁かれた人の総数は４０６万人で、うち死刑になった人々は約80万人とされています。

処刑を免れた人々の多くが強制収容所に送られ、劣悪な環境の中で重労働を強制され、命を落とした人々が少なくありません。

大粛清はソ連国家の政治に大きな影響を与えました。これ以降、治安警察およびこれと密接に結びついたスターリン個人の書記局が正規の党・国家機構を押しのけて絶大な権力をふるいました。この政治は専制政治であり恐怖政治であったと言わざるをえません。

社会主義社会では階級は消滅し、従って階級的対立はなくなっていなければなりません。先進資本主義国における民主主義（ブルジョア民主主義）よりも一層民主主義が発展したプロレタリア民主主義が普及するとともに、国家の権限が小さくなっていなければなりません。このような独裁政治が支配したソ連社会を「社会主義社会」と呼ぶことは到底できません。

（2）第2の柱　中央集権的計画経済（指令型経済）

計画経済こそ最も社会主義経済に特徴的な原則が守られているかのように見えます。しかし、国有化も一種の社会的所有といえますが、国家所有は必ずしも社会的所有とはいえません。絶大な権限を持つ共産党官僚及び国家官僚が生産手段の管理・運用の権限を持ち、生産手段の管理・運用から切り離された生産現場の労働者や農民などの一般民衆を指揮・監督するという「中央集権的指令型経済」でした。従って、このような生産体制にあっては、生産手段は一部の特権層の支配下にあり、一般民衆にとっては、自分たちの手のとどかない疎外された存在でした。このように、生産手段の国有化は社会の構成員一人一人が実感できるような共同所有ではありませんでした。

さらに、中央集権的指令型経済が問題でした。社会の生産と消費が社会の必要性に応じて、合理的に計画・配分されることが望ましいことですが、ソ連における計画経済は共産党・国家官僚の意図により、彼等の司令に従う計画経済に他なりませんでした。「一国家一工場」といわれたように、全国の工場が一つの司令部の計画と命令に従うという極度の中央集権制をとり、生産点の労働者や農民は計画から排除され、上意下達の命令に従う体制でした。社会主義的な計画経済とは生産手段を共同所有し、自由で対等な相互関係の労働者・農民自身の自発的な計画を基礎とした生産の自主管理体制であるべきであり、その基礎のうえに重層的な生産共同組合の連合体の間の計画の調整・統合であるべきと考えられます。生産の現場の労働者自身による生産の自主管理こそが最も尊重されなければなりません。

このように、ソ連における計画経済は社会主義的な計画経済とはいえませんでした。

〈まとめ〉

旧ソ連の社会体制を既存の政治的・経済的概念で分類することは、困難です。市民には政治的自由をはじめとする諸権利も民主主義的制度も与えられておらず、プロレタリア民主主義どころか、ブルジョア民主主義のレベルにも達していませんでした。

なぜこのような社会が生み出されたのでしょうか？　後進資本主義国のロシアで、経済的には資本主義経済が、政治的にはブルジョア民主主義が十分発達するのを待たずに、この段階を飛び越えて社会主義社会を建設することを試みました。この飛び越えに失敗した結果が悲劇的なソ連の歴史であったと言えるのではないでしょうか。私たちはもう一度問い直してみなければなりません。レーニンによって指導されたロシア革命は、一体誰のための、何を目的とした革命だったのでしょうか？　革命に伴う内戦によって、粛清や強制労働によって、食糧調達によって幾百万・幾千万の人々が命を落とし、傷つき、塗炭の苦しみをなめました。

レーニンの著書に幾度か引用されている、ロシアの古いことわざがあります。

「地獄への道は善意で敷きつめられている」。

註

「開発独裁」とは、一般に発展途上国において、経済的開発を政治的支配の正当性の根拠としている独裁的政治体制を意味します。例としては、１９５０年代後半以降のタイのサリット政権や１９６０年代後半以降のインドネシアのスハルト政権が挙げられます。

第十四章　ノーメンクラトゥーラ

社会主義社会には階級は存在せず、従って階級的支配はないことになっていました。ところが、旧ソ連では、「ノーメンクラトゥーラ」と呼ばれる特権的支配層ないし支配階級が存在しました。彼ら／彼女らは個人としては資本を所有していませんでしたし、企業の経営者でもありませんでしたので資本家ではありませんでした。しかし、階層ないし階級としては、特権的な支配者集団を形成して、様々な特権的利益を得つつ、国家や共産党の管理・運営に就いていたのです。

1　「ノーメンクラトゥーラ」とは

旧ソ連において反体制派の人々が、「特権的支配階級」ないし「特権的支配層」を社会主義社会における新しい支配階級として「ノーメンクラトゥーラ」と呼んでいました。

ノーメンクラトゥーラという言葉の語源は「名簿」や「リスト」を意味するラテン語のNomenclaturaです。旧ソ連では、共産党の各級機関の権限を精密に規定したリストがありました。ノーメンクラトゥーラは、このリストに記載された職務についていたエリート党員の集合体をさしていると言えます。この集合体が、旧社会主義国家を管理し、支配していたのです。

旧ソ連では、共産党の組織の人事のみでなく、国家機関・軍隊・労働組合・マスコミ・各種文化団体から学術団体にいたるまで、あらゆる分野の幹部の人事の決定権を共産党の上部機関が握っていました。資本主義社会では、支配階級である資本家階級は生産手段の私的所有を社会的支配の基礎としています。

ソ連では、「社会主義社会には、生産手段の国有ないし社会的所有以外の所有形態は存在しないので、生産手段の所有を通しての支配・被支配の関係は生まれない」とされてきましたが、このことは虚構でした。

ノーメンクラトゥーラの構成員の個々人は生産手段を所有していませんでしたので資本家ではありませんでした。しかし集合体として独占的に生産手段を管理・運用し、独占的に生産計画を立案・指令することによって、労働者階級を支配し、労働の成果を搾取していたのです。

このように、旧ソ連にはれっきとした特権的支配階級ないし特権的エリート支配集団が存在していたのですから、階級社会であったと言わざるをえません。

共産党一党独裁体制の維持のために、安定した統治エリート集団の存続が不可欠とされ、ノーメンクラトゥーラの制度は共産党を軸とする社会制度全般を維持するための制度であったということができます。

2　ノーメンクラトゥーラ制度の発生と確立の過程

この制度の発生は１９１７年の10月革命を指導した共産党（ボリシェヴィキ）の中央集権的統治という国家の組織方針に由来していると言えます。

10月革命により誕生した新政権を支えていたのはソヴィエトで、そのソヴィエトでは直接民主主義を原理としていました。しかし、その原理を直接現実の政治や経済に導入しようとしたとき無理がありました。殊に適材適所が求められる各部署の人事に不備や混乱が生じました。

ロシアでは義務教育も専門的教育も普及が悪く、工業労働者が人口に占める比率が２～３％と非常に低く、労働者大衆は一般的教養と経験を欠いていたため、行政管理業務を担当することは不可能で、現場における「労働者自主管理」の原則は放棄されていました。

そのままでは、革命政権がめざしていた中央集権的統治機構を構築することは不可能となります。革命の初期に、この不備を補っていたのが共産党の組織でした。

共産党は革命の前からの「民主集中制」（民主主義的中央集権制）という組織原則を革命後も引き継いでいました。その組織原則によれば、党員の人事はすべて党中央委員会が掌握するという方針でした。内戦や帝国主義諸国の干渉戦争により危機に瀕した革命政権の防衛のために、旧帝政の将校や士官を採用して赤軍が作られました。

経済や行政その他の各分野で旧社会の専門家の助けをかりねばならず、一般労働者の賃金の数倍の高給を支払わなければなりませんでした。

ノーメンクラトゥーラ制度を支えていたのは共産党中央委員会の絶対的権威でしたが、当初その権威を支えていたのは、主として党歴の長さを基準とした党内での党員の序列でした。ことに革命以前からの党員であるか、革命後に入党したかによって決定的な差がありました。前者の古参党員集団の権威は絶対的でした。こうした党内の序列によって古参党員集団が党組織のみでなく、統治機構の上層部の役職をも占める傾向が生まれ、内戦期に強まりました。

１９１９年１月に、重要な人事を統括する最高機関として「共産党中央委員会組織局」が設置されました。この組織局の設置はソ連における安定した統治エリート集団としてのノーメンクラトゥーラの形成にとって画期的なことでした。

ノーメンクラトゥーラの制度が確立したのはスターリン時代ですが、開始されたのはレーニン時代です。

ノーメンクラトゥーラ制度が古参党員集団の寡頭支配を持続させる機構となっていましたが、１９３０年代に古参党員集団が消滅した後も、エリート集団の再生産のための主要な制度として存続しました。そして共産党一党支配の確立にともなって、ノーメンクラトゥーラの制度も安定し、両者は融合して一体の関係となり、ソ連解体まで続いたのです。

ノーメンクラトゥーラの構成員の正確な数は分かりませんが、１９７０年代では約70万人とヴォスレンスキーは推計しています。

これらの人々はすべて共産党員ですが、当時、党員総数は約１７００万人とされていますので、ノーメンクラトゥーラは党員の約４％に相当します。

当時のソ連の正確な人口は不明ですが、ソ連邦崩壊後の２０１６年のロシア連邦の人口は推計で1億４７００万人とされていますので、ノーメンクラトゥーラが総人口に占める比率は０・５％以下であったと推測されます。

3　ノーメンクラトゥーラの特権

ノーメンクラトゥーラについて書かれた著書は多数ありますが、中でも著名なのは、１９７２年にソ連から西ドイツに亡命した哲学者・歴史学者ミハイル・S・ヴォスレンスキーによる『ノーメンクラツーラ』（佐久間　訳、中央公論社刊）です。

この著書の中の「ソ連邦共産党中央委員会の課長はどれくらい稼いでいるか」という項で述べられている、主として経済的側面の例に触れてみます。

共産党中央委員会課長というポストがノーメンクラトゥーラ全体の中でどれくらいの地位にあるのかはわかりませんが、文脈からは上級に属するようです。また著者が提示している月給の金額がどの年代のものかがわかりません。しかし、ソ連の平均的な労働者と共産党中央委員会課長との比較から、いかにノーメンクラトゥーラが優遇されていたかということを垣間見ることができます。

統計上、ソ連の平均的労働者及び職員の1カ月の給料が１９５ルーブルであったとされていますが、現実の平均的市民の1カ月の所得は１２０ルーブル前後と考えられたとしています。これに対して課長の月給の４５０ルーブルは平均的労働者の月給の約2・5倍、平均的市民の約4倍になります。

休暇についてみると、平均的労働者の年14日に対して、課長は1カ月の休暇とともに保養費として1

カ月の給料と同額の４５０ルーブルが追加されます。更に、課長は保養の施設をほとんど無料で利用できる特典があり、同じ施設を家族とともに利用する場合には家族の料金も大幅な割引料金となります。また、高位のノーメンクラトゥーラに与えられる「クレムリョーフカ」というクーポンがあり、課長には毎月90ルーブルが与えられました。90ルーブルのクーポンで得られる食料品や衣類は３００ルーブル以上の価値があったとされますので、１年間に３６００ルーブル以上の物資を入手できることになります。これらを合算しますと、課長の年給は実質的に、少なくとも年間９４５０ルーブル以上に相当することになります。この額は平均的労働者・職員の年給２２３０ルーブルの４・2倍以上となります。

以上見てきたように、ノーメンクラトゥーラに与えられる給与は、公式の給与の他に様々な追加給与があったことが分かります。

4　まだまだあるノーメンクラトゥーラの特権

ノーメンクラトゥーラに与えられる経済的・サービス的特典は以上述べたことにとどまりません。住宅、医療（診療所・病院）、商店、レストランなどについての特権がありました。ノーメンクラトゥーラだけが利用することができ、一般の労働者や庶民は利用することも入ることも許されない施設があったのです。

広い空間の良質な住宅、特別診療所や病院、高級商品を安く買える商店、高級レストラン等々がありました。個々についての説明は省略しますが、まさに階級的差別です。

第十五章　スターリン主義とその根源

スターリン主義の根幹を成すものは、「人間の自由」と「民主主義」に対する抑圧であったと考えられ、その根底には革命理論の「プロレタリア独裁論」と「唯一前衛党主義」が存在していたと言えます。

「唯一前衛党主義」とは自分達だけが、我々の党だけが、唯一つの前衛党を担う資格があるという考えで、意見の違う他の党派を排除する考えです。それは自己絶対化の考えともいえます。

このような考えとそれに基づく政策はスターリン時代に極大化しましたが、その根源はレーニンの思想・理論そして政策にありました。つまり、レーニン時代までは正しい道を歩んでいたが、スターリン時代から道を誤ったという考えが流布していますが、それは正しくありません。

1　スターリン主義とは

スターリン（ヨシッフ・ヴィッサリオノヴィチ　１８７９〜１９５３）は、１９２０年代後半から50年代初めにかけて、約30年にわたり、ソ連共産党・ソ連邦および国際共産主義運動の最高権力者として、ソ連型社会主義社会の建設を指導しました。

「スターリン主義」とは、彼の支配下で生み出された思想・理論・政策・社会体制などの総称と言うこともできます。

しかし、一般には、スターリン主義とは、彼が行った独裁政治（恐怖政治）・個人崇拝・反対派ないし批判勢力に対する大量粛清・一国社会主義路線やさまざまな政治・経済政策等などにおける誤りや偏向・逸脱とそれらの背景となった思想・理論をさすことが多いといえます。

ロシア社会民主労働党ボリシェヴィキ派（1918年3月、ロシア共産党と改称）の創立者であり、10月革命の最高指導者であったレーニンが、1922年5月病にたおれ、スターリンが共産党書記長の地位に就きました。

1924年1月レーニンの死後、スターリンはトロツキーをはじめとする党内の反対派をしりぞけて、党及びソ連邦の最高権力を掌握しました。

後進資本主義国＝農業国であるロシアで社会主義社会の建設を急ぐあまり、急速な重工業化と農業集団化が強行されました。これらの政策遂行に際し、農民や労働者その他国民各層から多くの批判と不満が生じましたが、これに対して強権的に弾圧する方法がとられました。

政策に反対したり、批判する知識人や民衆、共産党内の批判分子などを抑圧し、処刑したり強制収容所に送って強制労働につかせたりしました。

独裁政党である共産党が超中央集権的国家機構と一体化して、特権的支配階級（ノーメンクラトゥーラ）を形成し、専制的な「ソ連型社会主義体制」を生み出しました。

また、コミンテルン（共産主義インターナショナル　１９１９年3月～１９４３年5月）やコミンフォルム（共産党・労働者党情報局　１９４７年9月～１９５６年４月）を通して各国共産党をソ連共産党の指導に服従させました。このような「ソ連型社会主義体制」とその基礎をなす思想・理論・政策の総体を「スターリン主義」ということができると思います。

スターリンの死後の１９５６年、ソ連共産党第20回党大会におけるフルシチョフ書記長によるスターリン批判以降、神格化されていたスターリンの権威は失墜し、スターリン批判は広く行われるようになりました。

しかし、日本におけるスターリン主義批判の最も一般的な見解はといいますと、「スターリン主義」は、政権を握ったスターリンによって、マルクス主義及びその正統な継承者とされるレーニンの思想・理論や政策が歪曲されることによって生み出されたというものでした。

つまり、ソヴィエト社会主義はレーニン時代までは正しい道を歩んでいたが、スターリン時代になって、レーニンの敷いた路線から逸脱し、誤った道を歩むことになったというものです。

1991年ソ連邦崩壊の過程でソ連の各地で、レーニンの銅像が群衆によって引き倒される行為がみられ、ソ連ではレーニンの神格化された権威もまた失墜しました。しかしそのような行為は、長年ソ連社会を支配してきた独裁権力の支配的イデオロギーである「共産主義」に対する感情的な嫌悪や怒りが主な要因になっていたように思われます。

旧ソ連邦でスターリンとレーニンの関係がどのように捉えられていたかということはよく分かりません。

日本や欧米では、かなり以前から、スターリン主義の根源はレーニンの思想・理論・政策にあったことを指摘する論者が存在していました。

（1）「プロレタリア独裁論」と「唯一前衛党主義」がスターリン主義の根底

スターリン主義は、後進資本主義国＝農業国のロシアで社会主義路線が強行されたことによって生じた「人間の自由」（個人の主体性と多様な考え方・生き方の尊重）と「民主主義」を否定した圧政であったということができます。

その社会主義路線の強行の根底には「プロレタリア独裁論」とそれから発した「唯一前衛党主義」（自分達だけが、わが党だけが唯一つの前衛党であるという自己絶対化の考えのもとに他の党派を政治から排除する思想）に基づく共産党一党独裁制であったと言えます。それとともに一党独裁制のもとに推進された生産手段の国有化に基づく「中央集権的指令型経済」がありました。

１９２０年7月~8月に開催されたコミンテルン（共産主義インターナショナルの略。レーニンの提唱で１９１９年3月に結成された各国共産党の国際的統合組織をいう）第2回大会で、レーニンは「プロレタリア革命における共産党の役割についてのテーゼ」において、「それぞれの国にただ一つの統一的な共産党が存在しなければならない」と、「一国一前衛党」を規定しました。

更に、翌１９２１年3月のロシア共産党第10回大会決議では、「マルクス主義が教えるところ……によれば、労働者階級の政党、すなわち共産党だけが……プロレタリアートを政治的に指導し、プロレタリアートを通じて勤労者階級全体を指導することができる」と「唯一つの前衛党＝共産党」とその指導的役割を定式化しました。

そして、一党独裁と中央集権的経済の政治経済体制を選択せざるを得なくした歴史的・社会的背景としてロシア社会の後進性が挙げられます。

前記の独裁政治と指令型経済の支配体制はレーニンによって着手され、スターリンによって確立されました。無論、スターリンによって確立されたものが、レーニンの意図したものから偏向したり、歪曲されたりした点が少なくないとは思われますが。

（２）一国社会主義論と平和共存路線

（1）に次いで重視されるのが、「一国社会主義論と平和共存路線」です。スターリン時代以前の国際共産主義運動では、一つの国のみでは社会主義社会を建設することは不可能であるとされていました。しかしスターリンはこの考えに背いて一国のみでも社会主義社会を建設することは可能であるという「一国社会主義論」の立場に立ち、「社会主義」建設を推進しました。

しかし、この一国社会主義論に立った社会主義建設は、単にソ連邦内部の問題にとどまらず、国際的に大きな波紋を投げかけました。

ドイツを中心とした、第1次大戦末期から直後にかけてのヨーロッパにおける革命情勢が終息し、帝国主義列強に包囲された中で、しかも後進国ロシアで、社会主義建設を進めることは、困難を極めたことは容易に理解できます。

しかし、世界全体の社会主義運動や労働運動を発展させるという国際主義（インターナショナリズム）の立場に立つのではなく、ソ連における社会主義建設を最優先させる立場から、帝国主義諸国との共存をはかり、この目的のために各国の革命運動や労働運動を従属させ、ときにはソ連の利益のために他国の共産主義運動や労働運動を犠牲にするという過ちを犯しました。

スターリンの各国に対する影響は主としてコミンテルン（共産主義インターナショナル）を通して行われましたが、各国の革命運動や労働運動に様々な圧力が加えられたり、誤った指導が行われたりして、多くの混乱や不利益が生じました。

2　ソ連邦内外の政治

（1）ソ連邦における政治・経済政策

スターリンの指導のもと、1928年から開始された数次にわたる「5カ年計画」による急進的重工業化政策や、1929年から始められた強制的「農業集団化」が実施されました。1936年12月には「新憲法」が制定され、ソ連では「社会主義社会が基本的に建設された」という宣言がなされました。

ここで社会主義社会とは、レーニンが用いた用語で、マルクスのいう共産主義社会の第一段階（低い段階）を意味します。

共産党一党独裁はスターリンの個人独裁となり、更に個人崇拝へと発展しました。スターリンは明らかな反対派のみならず、意見を異にする人々あるいはその疑いのある人々をも、「人民の敵」という名のもとに大量粛清を行いました。

1936～1938年のみでも政治的理由で逮捕された人は数百万人、そのうち数十万人から百万人が処刑されたとされています。また逮捕された多くの人々が強制収容所に送られ、劣悪な環境のもとで重労働につかされ、命を落とした人々も少なくありません。

農業の集団化を強制的に進め、急進的重工業化政策に必要な外貨獲得のため、大量の輸出用の穀類を農民から暴力的に収奪しました。そのため農民による多くの騒擾事件が起き、耐えかねた農民が大量に逃亡するという事件も起きました。１９３１年には天候不順による不作も手伝い、ウラル・ウクライナ・ボルガ河流域で飢饉が発生し、４００～５００万人の人々が死亡したとされています。このような政治体制のもとでは、基本的人権・自由・民主主義は奪われており、これは専制政治であり恐怖政治であったといえます。

（２）スターリン政権の国際的政策に目を向けてみますと、一国社会主義路線の弊害が数多くみられます。具体例を挙げてみます。

１９３９年８月、スターリンはファッシズムのヒットラー政権との間で「独ソ不可侵条約」を結びました。ソ連をドイツの侵略から守るためですが、昨日までナチス・ドイツは世界で最も侵略的な国であると宣伝してきたソ連が、そのドイツと不可侵条約を結んだのですから、その政策に、ソ連の内外で驚きと混乱が生じました。１９４１年６月ドイツはこの条約を破棄してソ連に侵攻しました。油断をしていたソ連はドイツ軍の侵略により甚大な被害をうけましたゴルバチョフ時代になって、１９４１年の開戦時から１９４５年12月までの期間のソ連の人的損失は２６００〜２７００万人であったと知らされました。第２次大戦で最も多くの死者を出したのはソ連でした。

当時は公にされませんでしたが、この条約には秘密議定書が交わされていて、独ソ両国は、両国間に位置するポーランドを中心とする東欧諸国を分割支配することが決められており、後にそのことは現実のものとなりました。

第二次大戦後、ソ連は中欧・東欧諸国を支配し、ソ連型社会主義を画一的に押しつけるという誤りを犯し、民衆の抵抗にあい、やがてその体制は崩壊しました。

３　スターリン主義の根源はレーニン主義にある

ソ連の政治・経済体制及び路線は、レーニン死後のスターリン時代に確立されましたが、その基礎はレーニンによって作られたと言えます。

スターリン主義の源は、既にレーニンの思想・理論及び政策の中に認めることができ、スターリン主義は「レーニン・スターリン主義」と呼んでも過言ではないと思います。その種子はレーニンによって

１９１７年10月に始まる、いわゆる「社会主義革命」の中で播かれました。従って、スターリン主義批判はレーニン主義にまでさかのぼって行われねばなりません。

従来、マルクスの思想や理論はレーニンによって発展させられたとされ、正統派共産主義は「マルクス・レーニン主義」と呼ばれてきました。

ところが、スターリンの思想・理論が「マルクス・レーニン主義」のそれとは似て非なるものであるのみならず、レーニンの思想・理論もマルクスのそれとは大きな隔たりがあり、似て非なるものと言わざるをえません。

（1）唯一の前衛党（共産党）の独裁と個人の独裁

①唯一前衛党主義＝共産党一党独裁

共産党一党独裁の政治的支配はレーニン時代に始められています。１９１８年１月憲法制定会議解散後、辛うじてボリシェヴィキ政権にとどまっていたエスエル党左派が、１９１８年７月にはドイツとの講和条約をめぐる対立から政権から離脱し、政権と敵対的関係になりました。

共産党一党独裁の政治的支配の根底には、レーニンの「プロレタリア独裁論」及び「唯一前衛党主義」があったといえます。

②一党独裁

１９１９年以降レーニンは唯一の前衛党の独裁を公然と唱えるようになりました。

「マルクス主義が教えるところ……によれば、労働者階級の政党、すなわち共産党だけがプロレタリアートおよび勤労大衆全体の前衛を統合し、育て、組織することができるのであって、この前衛だけが……プロレタリアートを指導し、プロレタリアートを通して勤労大衆全体を指導することができるのである。これなしには、プロレタリアートの独裁は実現できない」。（１９２１年3月　ロシア共産党第10回大会）

③個人の独裁

レーニンはまた１９１８年以降、個人独裁についても公言するようになりました。

「ソヴィエト的（すなわち社会主義的）民主主義と個人が独裁的権力を行使することのあいだには、どのような原則的矛盾もけっしてないのである」。（１９１８年「ソヴィエト権力の当面の任務」）

「ソヴィエト社会主義的民主主義は単独責任制および独裁とは少しも矛盾せず、階級の意志はときとして独裁者によって実現されるものであり、この独裁者は往々、一人でより多くの仕事をなし、またしばしばより必要である」。（１９２０年　ロシア共産党第９回大会「とうの昔に解決された問題」）

唯一無二の革命党による独裁政治という自己絶対化の思想の立場では、意見の異なる党派や人々を政治から排除し、相手の言論の権利を奪い、ときに対立する人々を暴力によって抹殺してきました。

（2）民主主義の否定

前述のように、レーニンは1917年の2月革命直前までは、労働者階級は十分に発達したブルジョア民主主義を経験することなしには社会主義社会建設に歩みを進めることはできないと、くりかえし力説してきました。そして、ロシアのプロレタリアートが目指すべき革命は民主主義を貫徹するブルジョア民主主義革命であると主張してきました。

①憲法制定会議の解散――独裁政治の始まり

この件に関しては、第Ⅱ編第六章「1917年10月のロシア革命とはどのような革命だったのか」3―（1）「憲法制定会議の招集と解散」（前掲）をご覧ください。

② 言論の自由に対する弾圧

10月革命後1カ月もたたない時点で、憲法制定会議が未だ開催されておらず、内戦も起きていない時期に、レーニンの指示で、ほとんどの商業新聞とボリシェヴィキと意見を異にする諸党派の機関紙が発禁になりました。発行が続けられたのは、ボリシェヴィキの機関紙『プラウダ』とソヴィエトの機関紙『イズヴェスチア』、政権に参加しているエスエル左派の機関紙、ゴーリキー（作家・劇作家、党派的にはエスエル左派）が発行していた『ノーバヤ・ジーズニ』くらいのものでした。※詳しくは第Ⅱ編第六章「1917年10月のロシア革命とはどのような革命だったのか」3―（4）言論の自由に対する弾圧――前掲をご参照下さい。

4　赤色テロルの発動

１９１７年10革命政権樹立直後の12月7日にはジェルジンスキーを議長とする「反革命サボタージュと闘う全ロシア非常委員会」（通称チェーカー）が設置されました。設立当初はその目的に政治的テロルの行使はありませんでしたが、１９１８年7月エスエル党左派の蜂起でドイツ大使が暗殺された事件、同年8月レーニン暗殺未遂事件が起き、これらを契機として「赤色テロルについて」という政令によってテロルを合法化しました。

「現在の状況からしてチェーカーを強化し、階級の敵を強制収容所に隔離することでソヴィエト共和国を守り、白衛軍や陰謀や蜂起や暴動と関係あるすべての個人を即座に銃殺し、彼らが銃殺された理由をそえて処刑された者の氏名を公開することが絶対に必要である」。

レーニンは10月革命直前に書いた『国家と革命』の中で、ブルジョア民主主義の本質はブルジョア独裁であり、プロレタリア民主主義もまたプロレタリア独裁であると述べています。さらに、彼が革命直後に書いた『プロレタリア革命と背教者カウツキー』では、「独裁は、直接に暴力に立脚し、どんな法律にも拘束されない権力である」と規定しています。

独裁政権であるボリシェヴィキ政権は、目的遂行のためには無制限の暴力の行使を厭わないという、歯止めのない「テロル」による政治的支配を主張しているのです。その具体例を示します。

（1）農民からの穀物の無償徴発

１９１８年春には都市部では穀物が底をつき、飢餓が切迫しました。ボリシェヴィキ政権は穀物獲得のため、「食糧割り当て徴発制度」という、農民のもとにある穀物の余剰分を無償で供出させる政策を導入しましたが、農民の強い抵抗にあいました。そこで、7月になると、武装した労働者を農村に送り込み、暴力的に穀物を没収する手段をとりました。当然のことながら、農民と徴発隊との間に武力衝突も起きました。１９１８年末までに農村に派遣された徴発隊の労働者は約7万２０００人、そのうち７３００人余が農民との戦闘で戦死したとされています。

食糧確保の手段としてとられた暴力的な食糧徴発という方法も誤りですが、このことに関して、１９１８年8月11日にレーニンがペンザ県ソヴィエトの執行委員会議長に送った、次のような電報がソ連崩壊後の１９９０年代末になって公表されました。

「同志諸君、クラーク（農村の富農）の5郷の蜂起を容赦なく弾圧しなければならない。革命全体の利益がこのことを要求している。（中略）1．百人以上の名うてのクラーク、金持ち、吸血鬼を縛り首にせよ（必ず民衆に見えるように縛り首にせよ）、２．彼らの名前を公表せよ、３．彼らからすべての穀物を没収せよ、４．昨日の電報に従って人質を指名せよ。周囲数百ヴェルスタ〔当時のロシアの距離の単位で、１ヴェルスタは約１・07キロメートル〕の民衆がそれを見て、身震いし、悟り、悲鳴をあげるようにせよ」。（横手慎二著『スターリン』ｐ１０８　中公新書）

このような食糧政策に対して、マフノの反乱、アントーノフの反乱と呼ばれる大規模な農民の反乱とともに大小無数の農民の反乱が発生しました。窮地に追い込まれた政権は、１９２１年3月ソ連共産党第10回大会で、食糧政策を「割当徴発制度」から「現物納税制度」へと方針を転換しました。現物納税制度とは、農民は一定量の穀物を税金として納め、余剰の穀類は自由に処分できる制度です。

これを契機として食糧政策とともに経済政策全体を「戦時共産主義」から「新経済政策（ネップ）」へ転換したのです。

（２）大飢饉による大量死

革命政権の農業政策が招いた大規模な飢饉について述べておきます。

先に、スターリン政権下の１９３１年にウラル、ウクライナ、ヴォルガ流域に大規模な飢饉が発生し、農民を主に４００～５００万人の人々が餓死したことを述べました。

この飢饉の発生には天候不順による不作も手伝ってはいましたが、主な原因は強制的な農業集団化、農民からの残酷な食糧徴発などによる農業の荒廃にありました。つまり自然災害の要因よりも人的災害の要因の方が大きかったのです。

同様の飢饉がレーニンの政権下でも起こっていました。

１９２１年は不作の年であったにもかかわらず、度を越した農民からの食糧徴発が続けられました。農民自身が食べる食糧、翌年の播種のためのを含めて全ての予備食糧は押収され、１９２１年１月以降農民には食べるものが全くなくなりました。この頃農民の反乱は全ヴォルガ下流域から西シベリアまで拡大しましたが、２月になると死者が増え、その２～３カ月後には飢餓のため反乱は消滅してしまいました。

飢餓が多くの地域を襲っている時、政府はいかなる救済措置も講じませんでした。

同年６月学者・知識人らが立ち上がり、「飢饉と闘う全ロシア社会委員会」を結成しました。７月にはソ連政府はこの活動を承認し、「全ロシア飢餓救済委員会」という名称をつけました。国内のギリシャ正教会や国際赤十字、米国の救済委員会などが積極的に支援に応じました。しかし８月米国救済委員会代表とソ連政府の間で協定を調印した数日後、「全ロシア飢餓救済委員会」は解散を命じられ、委員はモスクワから追放されました。

政府は、権力に反抗するとどうなるのかということの見せしめとして、農民に何らの救済措置も講じなかったのです。そして冷酷にも農民が死に絶えるのを待っていたのです。

（3）前線で兵士の逃亡を防ぐための残酷な手段

前線での兵士の逃亡を防止するための手段として、レーニンからトロツキーに1919年10月22日に次のような提案がなされました。このことは長い間隠されていましたが、ソ連崩壊後に公表されました。

「我々はペトログラードの労働者をもう2万人ほど動員し、さらにこれに1万人くらいのブルジョアジー分子を加えて、彼等の背後に機関銃を据え、2～300人を銃殺して、ユデーニッチに大規模な攻撃を加えるべきではないだろうか」。（前掲書p116）

ここで、ユデーニッチとはユデーニッチ将軍のひきいる反革命軍を意味します。革命軍の兵士の戦線逃亡を防ぐため、革命軍に対して敵意を抱いているブルジョアジー分子まで動員して、兵士の退路を断つべきであるというのです。

（4）1920年夏から1921年夏にかけて中央農業地帯のタンボフで起こった大規模な農民の反乱は、エスエル党員アントーノフ（1888～1922）の指導によることから、アントーノフの反乱と呼ばれていますが、反乱軍が展開したゲリラ闘争に対して、赤軍の正規軍が投入され、「毒ガス弾」も使用されました（『世界歴史大系　ロシア史　3』p102　和田春樹等編著　山川出版）

前記の2つのレーニンの命令や提案が実際にどの程度実行されたかはわかりませんが、目的遂行のためには、いかなる暴力的手段をも辞さないという冷酷な考えです。

第二次大戦での独ソ戦中、１９４２年７月28日にスターリンは命令２２７号を出し、前線からの兵士の退却や逃亡を防ぐために、「士気の定まらぬ師団の後方には、『パニックに陥った者や臆病者』が無秩序に退却してきたときに、彼らをその場で射殺するための特別阻止隊を置くように命じていました」（横手慎二著『スターリン』ｐ２２５～２２６）。この命令はレーニンからトロツキーへの提案とそっくり同じです。

スターリン時代の大粛清を含めて、赤色テロルの被害者の数は、レーニン時代の赤色テロルの被害者とは桁違いに多いとはいえ、スターリンがレーニンの暴力的政治手法を受け継いだことは間違いありません。

５　レーニンの国家資本主義論

レーニンは革命前に、ロシアでは直ちに社会主義を導入することはできないこと、またロシア一国では社会主義建設はできないことをくりかえし主張してきました。

１９１８年１月の第３回労兵ソヴィエト大会で、レーニンは、初めてロシアは「社会主義ソヴィエト共和国」であると宣言しました。そのことはロシアが社会主義社会になったことを意味するのではなく、社会主義を目指す国家であるという決意を表明したものと受け取れます。

労・兵ソヴィエト革命政権のもとで、将来社会主義社会に移行するための経済体制を考えたとき、「労働者国家のもとでの国家資本主義」という社会体制をレーニンは選択したのです。

ロシアにおける「国家資本主義」は、ドイツが第1次世界大戦の総力戦のために「戦時統制経済」として採用した国家資本主義にならったものとされています。

レーニンは10月革命の直前に国家資本主義独占について次のように述べています。

「社会主義とは、全人民の利益をめざすようになった、そしてそのかぎりで資本主義的独占ではなくなった、国家資本主義的独占にほかならないのである」。（「さしせまる破局、これとどうたたかうか」1917年9月執筆、10月発行『レーニン全集』第24巻）

また次のようにも述べています。

「社会主義は、最新の科学の最後の言葉にもとづいて築かれた大資本主義的技術なしには、物質の生産と分配にあたって、数千万人の人々に単一の基準を厳守させる、計画的な国家組織なしには、ありえない」。

国家組織の中枢で意思決定された「単一の基準」が、組織を介して上意下達的に命令され、厳守させられる。そこでは、ただひたすら指令に従って仕事に従事する人々は主体性も自発性も無視されたロボットのような存在です。

更にもう一つ付け加えますと、レーニンは、「国家資本主義」を達成する必要性に関して、次のようにも述べています。

「ドイツ革命が『起こる』のが、まだおくれているかぎり、われわれの任務は、ドイツ人の国家資本主義をまなぶこと、全力をあげてこれを見ならうことであり、ピョートルが、野蛮とたたかうには野蛮な手段をもためらわないで、野蛮なロシアが西欧主義を見ならうのを促進したよりも、もっと多くこれを見ならうのを促進するために、独裁的なやり方も辞さないことである」。（１９１８年４月『「左翼的」な児戯と小ブルジョア性について』）

ここで、ピョートルとは、１６９４年から１７２５年にわたって在位したロシアの皇帝で、大帝と呼ばれました。彼は西欧主義にとりつかれ、後進国ロシアの西欧化を目指して大改革を強行し、かつ非妥協的に推し進めました、このことによって、民衆ことに農民は耐え難い苦役に喘いだのです。

徴兵制と領土拡大を目的とするたび重なる戦争、ネワ川河口に新首都サンクト・ペテルブルグを建設するための過酷な労働のため、多くの民衆が苦しみ、命を落としました。

レーニンは、国家資本主義建設を、ピョートルが西欧化を推し進めたやり方よりも一層強固に、独裁的やり方も辞さずに推進するべきであるという決意を述べています。ピョートルが後進国ロシアの民衆を無知蒙昧な野蛮人として扱い、奴隷を鞭打つがごとく、野蛮な手段を用いたことを見習い、それ以上の過酷な要求を民衆に求めることもためらわないとしているのです。

〈まとめ〉

スターリンが犯した過ちの多くはレーニンを源泉とし、スターリン主義はレーニン＝スターリン主義といっても過言ではないことを述べました。

スターリン主義の根底をなす思想は、「プロレタリア独裁論」と、そこから派生し、それと一体となった「唯一前衛党主義」であることも述べました。

それは、人間的自由と民主主義に対する抑圧でした。

ロシアで、このような暴力的な独裁政治が生まれた背景としては多くの要因があげられますが、最も大きな要因として歴史的・社会的背景としてのロシア社会の後進性をあげざるをえません。

資本主義の発達の遅れにより、資本家階級とともに労働者階級も階級としての形成が未熟でした。ツァーリ専制政治が長く続いたこともてつだい、民主主義の発達の遅れが顕著でした。

後進資本主義国であるロシアの社会的条件と第１次大戦に参戦したことによる極度の社会的に疲弊し

た状況の中で、ボリシェヴィキ党が権力を奪取し、「社会主義路線」を選択したことが、そもそもの悲劇の始まりであったと言わねばなりません。

ロシアにおける社会主義社会の建設は、労働者階級の自己解放運動ではなく、革命党＝共産党の「啓蒙専制主義」とも言える、上からの近代化政策であったと考えられます。

特に注目せねばならないことは、ロシア革命においては労働者階級は社会的多数者（マジョリティ）ではなく、圧倒的少数者（マイノリティ）であったということです。

かつてマルクスがプロレタリア革命の権力は圧倒的多数者である労働者階級による少数者である旧支配階級の資本家階級に対する支配であることを指摘しましたが、ロシア革命におけるボリシェヴィキ政権のもとでは少数者による多数者に対する支配という逆の関係になりました。

様々な悪条件の中でボリシェヴィキが権力を維持し、「社会主義路線」を推進しようとした時、上からの指導や命令を強力にすすめねばならない、「上からの革命」とならざるを得なかったと思われます。

そこに独裁政治と中央集権的指令型経済を進めねばならなかった理由があったと思われます。

その体制を維持強化するためにつくられた特権的支配層（ノーメンクラトゥーラ）は支配階級として新たな階級社会を形成したのです。

ロシアにおける社会主義路線の破綻の要因の一つとして、ロシア社会の「後進性」を挙げましたが、そのことは決してロシア社会の後進性を卑下するものではありません。その当時のロシアの歴史的・社会的発展段階を客観的に評価したものです。

後進国の「未開」と「野蛮」とは違います。レーニンは民衆を見下した後進国の野蛮な独裁政治家であることが如実に現れています。

10月革命におけるレーニン＝ボリシェヴィキの決断、すなわち一党独裁と社会主義路線の選択は英雄的決断ではなく、自らが置かれた歴史的・社会的状況を無視した、狂信的ともいえる時期尚早の極左冒険主義であったと言わざるをえません。

それは、崩壊したツァーリの専制政権が推し進めてきた「啓蒙専制」や、後進国革命にみられる「開発独裁」とも共通する「上からの革命」であり、人民の自由と民主主義が否定された社会を生み出したのでした。

目的を達成するためにはいかなる手段をも行使することが許されるわけではありません。未来がどんなに大切であったとしても、現在は未来を達成するための手段ではあってはなりません。現在を生きる民衆の人格・生命・生活・自由もまた尊重されなければなりません。レーニン時代に背負った負の遺産は、スターリン時代に引き継がれ、拡大再生産され、民衆の肩に重くのしかかり、多くの悲劇を招いたのです。

ロシア革命は一体誰のために何を目的とした革命だったのでしょうか?

レーニンの論文に出てくる「地獄への道は善意で敷き詰められている」という諺を連想してしまいます。

「近代社会の経済的運動法則を明らかにすることは、この著作の最終的目的でもある。——その社会は自然的発展の諸段階を跳び越えることも法令で取り除くこともできない。しかしその社会は分娩の苦痛を短くし緩和することはできるのである」。(マルクス『資本論』第1巻、第1版への序文)

第十六章　ソ連はどのように崩壊したのか

これまでに述べてきた、ソ連＝ソ連型社会主義体制がかかえていた矛盾から、ソ連には遅かれ早かれ崩壊の危機が訪れるであろうと推測されていました。

ソ連崩壊には様々な要因があり、それらは相互に複雑に絡み合っていると思われます。次に、崩壊の主な要因をとりあげ、検討してみようと思います。

ソ連崩壊の要因

①ロシア社会の後進性：社会主義社会を建設する経済的、政治的、文化的基礎の欠如

②革命政権によって採用された政治、経済制度の破綻：共産党一党独裁の政治制度と中央集権的計画経済（＝上意下達の指令型経済）：民主主義と自由に対する抑圧

③米国に対抗した核軍拡競争による経済的負担

④ブレジネフ政権時代（１９６４～１９８２）の政治・経済の停滞：１９６４年10月ブレジネフ共産党

書記長に就任、（コスイギン首相に）官僚的保守主義体制が18年間続く
⑤ゴルバチョフ政権（１９８５～１９９１）による民主化政策：ペレストロイカ（立て直し）とグラスノスチ（情報公開）が旧体制の解体を促進
⑥ペレストロイカの影響を受けて中欧・東欧諸国の分離独立、ベルリンの壁崩壊と東西ドイツの統一（１９８９）
⑦労働者の生産意欲の低下と労働規律の弛緩
⑧民衆の民主主義と自由を求める欲求

１　ロシア社会の後進性

（１）第１次大戦前（１９１４年１月）の統計では、人口全体の約84・7％を農村人口が占め、鉱工業・運輸などの近代的産業の労働者は僅か２～３％を占めるに過ぎず、資本主義経済が未発達で労働者の階級形成も未発達でした。
（２）教育の普及の遅れ。１９１０～１９１３年の調査では、識字率（文字を読み書きできる人の比率）が28・４％と、非常に低い水準でした。

（3）（1）、（2）で述べた社会的背景から、ロシアは鉱工業の生産力は低く、前近代的農業が支配的な農業国でした。

（4）ロシアは第1次世界大戦に参戦し、主としてドイツと闘い敗北するとともに、10月革命後の内戦や帝国主義諸国による干渉戦争（日本軍のシベリア出兵を含む）により、産業も運輸も国土も荒廃し、国家は疲弊状態にありました。

（5）民主主義政治の未発達

ロマノフ王朝のツァーリ専制政治が約３００年続き、専制政治が打倒されたのは、やっと１９１７年2月のことでした。したがって、ロシア社会としては近代的議会制民主主義（ブルジョア民主主義）の経験がほとんどなく、１９１７年2月革命によって、初めて民主主義の花が咲き始めようとしました。10月革命が起きたのは、まさにそのような時でした。

前記のような社会的条件では、レーニンはロシアは直ちに社会主義を導入することはできないとしながらも、社会主義を準備する段階として「社会主義政権下での国家独占資本主義」の政策を進めました。これは資本主義経済とブルジョア民主主義の発達を待たずに社会主義に向かって歴史的段階の「飛び越え」を試みたことになりました。

「ない袖はふれない」。残念ながらこの試みは失敗し、大きな負の遺産として残されたのです。

2　共産党一党の独裁政治と中央集権的計画経済（指令型経済）の破綻

１９１７年10月の革命で権力を握ったボリシェヴィキ（共産党）は労働者階級の「階級的独裁」を謳いましたが、一党独裁の政治的支配体制となり、民衆に民主主義と市民的自由は与えられませんでした。革命政権が推進した経済政策である中央集権的指令型経済と独裁政治は一体となり、官僚と共産党員の上層部は一体となって特権的支配層（ノーメンクラトゥーラ）を形成し、政治・経済を支配しました。つまり新たな階級社会を生み出したのです。

民衆は市民的自由と民主主義を奪われ、社会的意思決定に参加できない抑圧された状態におかれました。また労働の現場でも労働における労働者の主体性や意思決定権が認められず、疎外された立場におかれていました。このような状態では、生産意欲や労働規律は高まらなかったこともうなずけます。経済成長の鈍化、停滞とともに「社会主義体制」に対する国民の共感と協力は失われていきました。

3　莫大な軍事費がソ連の経済に重圧を加えていた

ゴルバチョフは回想で次のように述べています。

「書記長になって初めて、私は国の軍事大国化の実際の規模を知った……軍事支出は国家予算の、公表された16％ではなくて、40％、軍産複合体の生産高は国民総生産の６％ではなくて、20％だったのである」。

4　政治・経済の停滞――ブレジネフ政権の18年間

（1）１９６１年10月にソ連共産党第22回大会が開催され、新綱領が採択されました。それによると、「今後10年間にソ連が人口１人当たりの生産高でアメリカ合衆国を追い越すであろう」、「その次の10年間の結果、共産主義の物質的技術的基盤が作り上げられ、全国民にはありあまるほど物的財貨と文化財が保障されるようになるであろう」と謳い、ソ連では基本的に共産主義社会が建設されることを宣言したのです。

（2）１９６４年10月フルシチョフ辞任の後、ブレジネフが共産党第1書記（書記長）に就任しました。

１９６０年代半ば以降になると、企業の福利厚生施設の整備が進み、またソフホーズ（国営農場）、コルホーズ（農業生産共同組合）でも従業員のための住宅建設やインフラ（道路・水道・ガスなど）の整備が行われるようになりました。

１９７０年代には、雇用の安定とともに、社会保障、福利厚生が整い、民衆は体制に従順な態度をとるようになったと言われています。しかし、それとともに、労働技術の熟練度を高めることや生産性の向上、より高い賃金の獲得などを求める意欲が低下する傾向がみられました。

労働力が売り手市場のこともあり、労働意欲の低下、労働規律の弛緩がみられたことはすでに述べました。工業・農業共に成長は鈍り、停滞しました。しかし、ブレジネフ政権の指導者達は官僚制を揺るがすおそれのある政治・経済の改革に関しては慎重で、官僚制の安定化に努めました。官僚制の安定化は人事の停滞を招き、職責を全うできない高令の政治局員が少なくありませんでした。

民衆の目には、長年党幹部の席に居座る「老人支配」と映り、社会的流動性の低下は、体制への民衆の協力の熱意を減退させる一因になったことは疑えないと思われます。

（3）米ソ軍備管理交渉と緊張緩和（デタント）

１９６９年11月から戦略兵器制限交渉（ＳＡＬＴ）が開始され、１９７２年5月に「戦略攻撃兵器の制限に関する暫定協定（ＳＡＬＴⅠ）が調印されました。

１９７９年6月ＳＡＬＴⅡが調印されましたが、米国上院で批准されず、発行に至りませんでした。

このように数年間にわたり米ソ間で戦略兵器をめぐる交渉を続けられたこと自体が東西間の緊張緩和につながったと言えます。

また、１９７５年には全欧州安保協力会議における「ヘルシンキ宣言」は国境の不可侵と内政不干渉が謳われました。このことは当時のソ連政権にとって大きな安定要因になりました。

（４）資源の輸出と技術革新の遅れ

ソ連は石油・石炭・天然ガス・金・ダイヤモンドなどの埋蔵資源に恵まれた国でした。このことが、重工業化や軍事大国化を比較的短期間の年月で実現できた要因の一つでした。しかし豊富な資源に恵まれたことは、資源とエネルギーの節約やコスト削減の意識を弱め、技術革新を遅らせました。石油・天然ガスの輸出や金・ダイヤモンドの売却によって多額の外貨を獲得することができ、性能の良好な機械や食糧を大量に輸入することができたことも、長期的に見ると技術革新の遅れと産業の弱体化を招きました。そのため西側諸国との技術力の差が急速に拡大しました。

このような状況から、１９７０年代には、ソ連の指導部の間でも国民の間でも社会主義体制が資本主義体制より優れているという、それまで広く国民の間で共有されていた確信がゆらぐようになり、ソ連で共産主義社会を実現することは不可能であると思われるようになりました。さらに１９８０年代になると、ソ連は先進資本主義国に遅れをとっていると意識するようになったのです。「輝く共産主義社会」に向かって努力するという人々の意識は薄れていきました。

１９７０年代は政治・経済の停滞はありましたが、米ソ間の軍事的緊張緩和（デタント）が進み、国民の多くは贅沢を言わなければ、安定した生活を送ることができた時代でした。

しかし、生活の安定化にともなって、多くの人々が、より質の良い商品とサービスを求めるようになりましたが、ソ連の計画経済と産業はこうした国民の需要に応えることはできませんでした。

人々は質の良い東欧や西欧諸国などからの輸入商品を競って買い求め、質の劣るソ連製の日用品は売れ残りました。良質の輸入商品は不足していたため、人々は買い物に多くの時間を費やしました。勤務時間中にも買い物に出かけました。このような状況から闇商品の横流しや闇商人の横行をもたらしました。

需要の多い輸入商品の価格は闇商人によってつり上げられ、高価な商品を闇で買うために、多くの人々は勤務時間内に職場の機械と材料を使って内職に励んだと言われています。また企業や農村のコルホーズやソフホーズの物品を盗んで横流しをすることも行われたと言われています。

このような時、１９７９年12月、ソ連はアフガニスタンに成立した親ソ政権を支援するため軍事介入を開始し、１９８９年2月まで、大規模な泥沼戦争にはまりました。投入された兵士は62万人、うち死者は1万４０００人とされています。

5　ゴルバチョフによる「ペレストロイカ」と「グラスノスチ」

（1）ゴルバチョフ　ソ連共産党書記長に就任

１９８２年11月ブレジネフ書記長が死去し、アンドロポフが書記長に就任しましたが、１９８４年２月に病気により死去。更にその後を継いだチェルネンコ書記長も１９８５年３月に病死し、２つの政権はともに１年余の短命に終わりました。

１９８５年３月ゴルバチョフが書記長に就きました。

１９８０年代初頭には、生活物資の不足と買い物のための行列が一層顕著となり、経済の停滞や労働及び社会の規律の弛緩が一層広がり、許し難い状態になっていました。

１９８１～１９８２年には国民所得の成長率はほぼゼロになりました。

ゴルバチョフが書記長に就いた時は、このように非常に厳しい社会的情勢の真っただ中のことでした。物不足に悩まされていた国民の多くは支配体制に対して強い不満を抱いていました。事態はまさに危機的でした。

ソ連は軍事大国化のために、国家予算の40％という莫大な資金を軍事費に投入していたことは先に述べました。

この莫大な軍事費が国民生活を圧迫していたのです。経済改革が急務でしたが、その前にゴルバチョフは社会の秩序の回復と規律の引き締めに取り組みました。それとともに、官僚主義や汚職をなくすために、「グラスノスチ」（情報公開）を奨励しました。

（2）ペレストロイカの推進

１９８６年2月第27回共産党大会で、ゴルバチョフは「ペレストロイカは根本的改革である」と述べました。同年4月チェルノブイリ原発事故が発生しました。事故への対応、危機管理、事故の状況に関する情報公開などが不適切であったことから、政権の体制のあり方に疑問がもたれました。この原発事故は改革に拍車をかけました。

7月になると、ゴルバチョフは「ペレストロイカは第2の革命である」と宣言するようになりました。彼は、ペレストロイカは単に経済だけでなく、社会生活全体の転換を意味することを指摘しました。ペレストロイカにより共産党や政権の影響の少ない非公式の市民団体が多数出現しました。改革に反対する団体もありましたが、ゴルバチョフよりも急進的な団体もあり、ゴルバチョフに対して公然と批判が行われました。

１９８８年、ソ連最高会議に代えてソ連人民代議員大会とそこから選出される最高会議という二段階の議会を設けることが決まり、１９８９年3月に人民代議員の選挙が行われました。この選挙は、１９

17年10月革命以来の初めての自由な選挙であり、複数候補が議席を争いました。

1990年3月、ソ連憲法第6条が改正され、共産党の指導的役割の既定が削除されました。これによって複数政党制が実現しました。同時に大統領制が導入され、初代ソ連大統領にゴルバチョフが選ばれました。

彼は共産党書記長でありながら大統領でもあるという、一人二役の立場に立たされました。大統領を支える行政機構はまだ整っておらず、彼は改革派と保守派（共産党系）の間で難しい綱渡りをすることを強いられました。

ペレストロイカの当初の目的は何よりも「経済改革」でしたが、そのことが思うように進まず、経済的改革を実現するために「政治改革」に着手せざるをえなかったとされています。

経済改革の具体例として、1987年には、国営企業以外の経営主体を認め、外国企業との合弁企業の設立、サービス業での共同組合経営及び個人経営が認められました。

1988年1月には、国営企業全般について、市場の要素の導入と企業の自主性の拡大を軸とする改革が開始されました。しかし、価格の自由化はほとんどの場合値上げを意味し、国民生活を圧迫することになり、不満を強めました。

生産性向上のための労働規律の引き締めは、労働者にとっては労働強化を意味したため、労働者は熱心に取り組もうとしませんでした。

経済改革は期待どおりの成果を出せず、１９８９年原油価格の急落が発生したこともあり、経済成長率はマイナスに転じました。

（３）「新思考」外交

ゴルバチョフは「新思考」外交と呼ばれる全方位的外交政策を展開しました。１９８７年12月米ソ間で中距離核戦力（ＩＮＦ）全廃条約に調印しました。

同年５月からアフガニスタンからの撤兵を開始し、１９８９年２月完全撤兵しました。１９８９年12月には地中海のマルタで米ソ首脳会談がもたれ、「冷戦終結宣言」が出されました。１９９０年韓国との国交を樹立などを実現しました。

６　東欧革命からソ連崩壊へ

ゴルバチョフは東欧諸国に対しても改革を促すともに、改革に対してソ連は介入はしないことを約束しました。その結果１９８９年夏から12月にかけて「東欧革命」と呼ばれる体制転換が次々に起こりました。

民主化を求める民衆の運動は、当局の予想をこえて広がりました。1989年11月9日、東西ベルリンを隔てていた「ベルリンの壁」が民衆の手によって打ち壊されました。この出来事は東欧全体を揺るがす衝撃となり、その後ブルガリア、ハンガリー、チェコスロバキアで新体制が生まれました。

1990年にはバルト三国（エストニア、リトアニア、ラトヴィア）は独立宣言を行い、連邦の中心的存在のロシア共和国までが主権宣言を行いました。このようにして、1991年後半から12月にかけて、ソ連邦を構成していた15の共和国はそれぞれの民族共和国へと解体されました。

ゴルバチョフは、共和国の自立性を高める、連邦と共和国との関係を規定する「新連邦条約」の締結によって、連邦を維持することを目指しました。

1991年3月連邦維持に関する国民投票が9カ国で実施されました（独立を志向するバルト三国、アルメニア、グルジア、モルダヴィアはボイコット）。

投票の結果はいずれの国でも連邦維持が賛成多数で、全体では賛成76％でした。

4月には国民投票を実施した9共和国の首脳の間で連邦維持に合意に達しました。しかし、この合意は邦議会の承認を得ていなかったため、連邦の要人たちが不満をもち、8月19日ヤルタで静養中のゴルバチョフは連邦維持派によって拘束されました。翌20日副大統領ヤナーエフらによる国家非常事態委員会の名で非常事態宣言を宣言する「クーデタ」を起こしました。

このクーデタは、ペレストロイカ以前の旧体制への回帰を目指しているのではないかとの懸念もあり、民衆の支持をえられず、エリツィンらロシア政府・議会関係者らの強い抵抗、テレビなどのマスコミの批判的態度とともにクーデタ勢力による軍隊の掌握が弱かったこと等々により、３日間で失敗に帰しました。

この事件後ゴルバチョフの発言力は急速に弱まりました。８月24日彼は共産党書記長を辞任するとともに、党中央委員会に自己解散することを勧告しました。共産党の政治力は喪失しました。決定的だったことは、ウクライナ共和国最高会議が独立を宣言したことでした。12月に行われたウクライナの国民投票の結果、独立に賛成する票が約90％をしめました。

新連邦条約締結の実現のためのゴルバチョフの努力はここで終わりました。ロシアはウクライナ抜きの連邦はありえないという方針を持っていたからです。

１９９１年12月８日、１９２２年にソ連邦を結成する条約に調印したロシア・ウクライナ・ベラルーシ・ザカフカースのうち、ザカフカースを除く３国の首脳が会談し、１９２２年の連邦条約の無効と独立国家共同体（ＣＩＳ）の創設を宣言しました。

このことによって情勢は一気に連邦解体へと動き、12月21日バルト三国とグルジアを除く11カ国によってＣＩＳ結成が合意されました。12月25日ゴルバチョフはソ連邦大統領を辞任しました。

ソ連邦は連邦を構成していた共和国の独立によって解体され、約70年の幕を閉じたのです。

第Ⅲ編　「非暴力主義による社会変革と新たな社会民主主義を！」

第一章　社会変革と暴力
――非暴力直接行動あるいは非暴力不服従

社会変革の闘いの手段として、武器を含む暴力を用いることが許されるでしょうか？

人々が自分達の考えは正しいというゆるぎない信念を持っていたとしても、その目的を達成するために、それに反対する人々を暴力によって弾圧したり、命を奪ったりする権利はありません。

人々が正しいとする信念も、神ならぬ人間の考えの正しさは絶対的なものではありません。

社会変革の手段として、暴力の行使に反対する根本的理由は人々の人格と命の尊厳です。

暴力の行使は、たとえ目的を実現する手段だとしても、社会変革の理念と矛盾しています。

人道的に許されない手段が用いられる場合、例えば非戦闘員に対する無差別的殺戮が行われる場合には、所期の目的は形骸化し、意義を失います。

暴力によって獲得された権力は、暴力によって維持せざるをえません。暴力に基づいた権力は独裁政治を招きます。

暴力の行使は、敵対する新たな暴力を生み、暴力の連鎖を生みます。戦争は組織された巨大な暴力です。戦争は戦争の連鎖を生みだします。

1　日本国憲法と武力の行使

日本国憲法第9条には、「国民は、正義と秩序を基調とする国際平和を誠実に希求し、国権の発動たる戦争と武力による威嚇又は武力の行使は、国際紛争を解決する手段としては、永久にこれを放棄する。前項の目的を達成するため、陸海空軍その他の戦力は、これを保持しない。国の交戦権は、これを認めない」と平和主義が謳われています。

これによりますと、国家間の対立、国際紛争の解決の手段としては、国権の発動としての戦争と武力による威嚇あるいは武力の行使は行わないことが誓われています。しかし、憲法には国内における紛争あるいは対立に際しての武器の使用の可否については何も述べられていません。

憲法第9条を守る理由としては、「戦争は悲惨で残酷だ。二度と戦争を起こしてはならない」、「平和を守るためには、自衛のための武力が必要だという意見があるが、武力によっては平和は創れられない」など様々な理由が挙げられています。反体制勢力、通常左翼と呼ばれる人々の意見の一つとして次のような意見があります。

支配階級の利益のために、国家権力によって労働者をはじめとする一般民衆が「自衛のため」、「祖国防衛のため」などのスローガンのもとに戦争にかり出されて、他国の民衆と殺し殺されるという残虐行為を強制されることは拒否すべきであると。

では、このような意見を待った人々に、国内における労働者階級や民衆と国家権力との激突や革命が起きた場合に、武器を使用することの可否について尋ねると、①支配階級の出方次第によっては、武力闘争を避けることができない場合もありうる、②労働者階級は武力闘争なしには権力を奪取することはできないし、獲得した革命権力を維持することもできない、等など、武力の使用やむなしとする意見が少なからずみられます。

前記のことを要約してみますと、支配階級の利益のための国家間の紛争については武力を用いることも、労働者・一般民衆が戦争に動員されることも、ともに反対すべきである。しかし、階級闘争においては、労働者階級や一般民衆自らが選択した労働者階級・一般民衆自身の利益や大義のためには、武力を用いることもやむをえないということになります。

2　武器の行使は暴力行為です

個人や小集団による武器の使用は「テロ」と呼ばれ、国家権力の発動による武器の行使は軍事行動あるいは戦争と呼ばれますが、軍隊は組織された巨大な暴力機構であり、戦争は国家による巨大な暴力行為です。

3　暴力とは

暴力とは、物理力を主とし、時に化学的あるいは生物学的な手段を用いて、他者に対して自己の意志を強制することです。状況によっては、自己の意志を強制するために相手を威嚇したり、相手を傷つけたり、更には相手を死に至らしめる行為です。

意見の異なる相手や敵対する相手に前記のような威力を加えることによって決着をつけることは、相手との対話を拒否することです。言論によって意見の一致を見出そうとするのではなく、暴力によって相手の言論を封じ、自分の意見を一方的に相手に押しつけ屈服させることです。

それは、相手の人格や人権を否定することであり、時には相手の命を奪い、相手の存在そのものを抹殺してしまうことです。

人は自己の意志を押し通すために、自己の目的を実現するために、自分と敵対する相手を殺傷する権利があるでしょうか。

たとえ目的が正しいとしても、それを実現するためにはいかなる手段をも用いることが許されるというわけではありません。

暴力によって人権を侵害したり、対立者を傷つけたり、対立者の命を奪うというようなことは反社会的、反人道的行為であり、決して許されるべきではありません。

かりに所期の目的がいかに正しいように見えても、その目的を実現するために反社会的・反人道的手段が用いられた場合には、所期の目的は形骸化し、その意義を失うことになります。行為の主体は変質し、そこには魂を失った人々や組織だけが残ることになります。

過去に「人民のために」、「労働者階級解放のために」等々のスローガンのもとに、どれほど多くの人々が殺傷されたことでしょうか。

4　人間の命と人格の大切さ

国際間の紛争の解決手段としても、階級闘争の手段としても暴力や武力を用いるべきではない最も根本的理由は何よりも「人々の命と人格を大切にしなければならない」ということだと思います。自己の命がかけがえのないものであるのと同様に、対立者の命もまたかけがえのないものです。一人一人の人間は「唯一無二」の存在であるとともに、各々は二度と繰り返すことのできない「たった一回だけの人生」を生きているのです。

5　暴力・戦争の連鎖を断ち切ること

次に大切なことは、暴力の連鎖、戦争の連鎖を断ち切らねばならないということです。暴力の行使、武力の行使は相手に憎しみを生み、さらに復讐を生み、暴力と戦争の連鎖を招きます。今も中東やアフリカなどでは戦火が絶えず、朝鮮半島でもいつ戦争が起きるか予断を許しません。この地上からなんとしても戦争をなくさなければなりません。しかし武力によっては戦争をなくすことはできません。国家間の紛争においても、国内における対立に際しても原則として武器と暴力を行使しない、行使させない努力が必要です。

6　非暴力直接行動の普及

権力闘争においては、支配者の権力を打倒するために武力が用いられた場合には、権力を打倒した後、その軍事力は自分達が獲得した権力を反革命勢力から守るために用いられるのみならず、革命勢力のなかの意見を異にする勢力に対してもむけられる可能性があります。

実際、多くの反体制運動や革命運動で、運動の分裂に伴って武装闘争が生じたことはよく知られています。

そのためには、まず反体制的運動の中に非暴力主義に基づいた非暴力直接行動を普及させる必要があると思います。

7　暴力・非暴力についての2人の意見

（1）スーザン・ジョージの「非暴力」についての意見

彼女はアメリカ出身で、パリを生活の拠点とする活動家です。新自由主義的グローバリゼーションに対抗する「オルター・グローバリゼーション」のリーダーの一人です。彼女の著書『オルター・グローバリゼーション宣言』（２００４年　杉村昌昭ら訳）に非暴力に関する意見を見てみましょう。

第十章　もし、私たちが非暴力を実践するなら

「敵対者に暴力で立ち向かうことは、正当なのだろうか？　……私個人の立場は、デモにともなって発生するどんな種類の街頭の暴力にも反対するというはっきりしたものである。……抑圧への返答である暴力の効力、そしてその正当性への疑問は、少なくともアメリカ独立革命やフランス革命以来、近現代の政治運動の中心問題でありつづけている。……私たちは新自由主義的グローバリゼーションに対する、組織的な国際的反対運動によって特徴づけられる。……私達のムーブメントの問題は、これらの敵対者や悪に対して、そもそも暴力を通して打ち勝つことができるかどうかを判断しなければならないということである。……私たちのムーブメントの側にいるほとんどすべての人のあいだに、暴力を許容することを拒否するというコンセンサスが読み取れる。……私たちはまず、人間に対する暴力と、財産に対する暴力を区別する必要がある。例えば私は、暴力を振るうのが不公正な経済システムであれ、国家であれ、テロリストであれ、デモ参加者であれ、人間に対する暴力を非難する。それは道徳的な理由から非難するのである。……人間に対する暴力は、それが人命を救うための正真正銘の正当防衛であり、それ

が暴力全体のレベルを引き下げるために使われるのなら、そのときだけは正当化される。……では、大衆的なデモのあいだに起る財産への暴力についてはどうなのか？ ……このような暴力はおそらくは闘っているその目標のためには有害なのである。小さな商店や一般人の自動車に対して暴力が加えられる場合にはとくに逆効果となる。……それでも私は、民主主義的なすべてに手段が尽きてしまった場合には、財産に対する暴力も、ときには正当化されると信じている。有名な例がいくつかある。ジョゼ・ボヴェと彼の仲間が南フランスで建設中のマクドナルド店を解体したことや、畑に育った遺伝子組み換え作物を引き抜いたりしたことである」。

（2）無政府主義者　向井孝　の意見

「このようにして、ゲリラはその集団機構における暴力のために、その当初からかならず権力化の要素と志向をもっている。そして、はじめはすぐれて人民闘争的であったゲリラが、その武力の発展によって、ある時点から、まさに反人民的・反革命に転化してしまうのである。

サパティスタの示唆するもの

ここで、1994年メキシコで武装蜂起したサパティスタ民族解放軍（EZLN：Ejercito Zapatista de LiberacionNacional）のマルコス副司令官の示唆的な発言を紹介しておきたい。

▽繰り返しますが、われわれは権力も政党になることも望んでいません。そんなものはもうたくさんです！

▽武器によって権力を握った者は決して統治してはならないとわれわれは考えています。武器と力で統治する危険があるからです。

▽目指しているのは、民主主義と正義と自由を要求するためにもはや地下にもぐったり武装したりする必要がなくなるような事態なのです。

▽……われわれは武装闘争を、１９６０年代のゲリラが考えていたように、唯一の道、唯一の手段、いっさいを決定する唯一の真実であるとは、思っていません。

▽ＥＺＬＮは厳密に定義されたイデオロギーをもたない蜂起運動です。マルクス＝レーニン主義や社会的共産主義やカストロ主義やゲバラ主義などといった古典的ケースのいずれとも合致しません。武装運動がなすべきは、問題――自由の欠如、民主主義の不足、正義の不正（原文のまま）――を提起することであり、そのことを成し遂げた後には消滅することです。

▽革命運動やその指導者はすべて政治指導者や政治的主役になりたがるという傾向をもっていますので、「革命的」という用語は適切ではありません。これに対してＥＺＬＮは、あくまで社会反乱であり続けます。革命家は常に上から変革することを望みますが、社会反乱は下から変革することを望みます。

（『もうたくさんだ！　メキシコ先住民蜂起の記録』１９９５年、『マルコス　ここは世界の片隅なのか』２００２年、現代企画室刊）（向井孝著『暴力論ノート　非暴力直接行動とは何か』「黒」発行所　より引用）

8　非暴力主義と直接行動

（1）著者の主張する非暴力主義は議会主義ではありません。社会の重要事項は国会や地方議会における審議・議決が尊重されねばなりませんが、すべてを議会に委ねることはできません。

非暴力主義は、権力に対する異議申し立てや社会問題に関する自分達の意志表示のために、多面的で多様な非暴力的な直接行動を積極的に展開する必要があるという立場にあります。

（2）歴史的には、非暴力主義に基づいて闘った偉人として、インド独立運動の父と呼ばれるモハンダス・ガンディ（1895～1949）や、アメリカにおける公民権運動の黒人指導者マーチン・ルーサー・キング牧師（1929～1968）が非常に有名です。

インドをイギリスの植民地支配から解放するためにガンディがとった方法は「非暴力不服従」と呼ばれました。イギリスに押し付けられた諸制度や商品をボイコットするために、不買運動やストライキを指導しました。

法律によってインド人が塩を作ることが禁じられていましたが、これに抗議して、内陸から海まで300㎞を行進（「塩の行進」）して、インド人に塩を作ることを呼びかけました。

その他に、イギリスから輸入される織維製品に対抗して「手紡ぎ車」による綿糸作りの奨励など多くの非暴力運動を展開しました。

キングは、アメリカの作家ヘンリー・デイヴィッド・ソロー（１８１７〜１８６２）の「市民的不服従」の思想などの影響を受けて非暴力主義の思想を持っていましたが、１９５９年インドを訪れてガンディの思想と運動に深い感銘を受けて、非暴力抵抗運動の正しさを確信したと言われています。

１９５５年にモントゴメリーで行ったバス・ボイコット運動や１９６３年のワシントン大行進などの活動を展開しました。

（３）非暴力直接行動

非暴力直接行動の具体例は、すでにガンディやキングらが採用した戦術として示しましたが、もう少し例をあげてみましょう。

街頭宣伝（署名活動・ビラまき・演説など）、集会、デモ行進、座り込み、ハンガー・ストライキ（断食）、労働組合のストライキ、特定商品のボイコット（不買運動）、学生のストライキ（授業放棄）など。

これらの行動は、多くの場合非暴力的ですが、時として暴力的性格を帯びることがあります。

例えば、デモの参加者のなかから警官隊に向かって投石をする、火炎瓶を投げる、道路脇に駐車してある自動車の窓ガラスを割る・火をつける、道路沿いの商店の窓ガラスを割る、商品を略奪する等々の破壊的行為が発生すれば、そのデモは暴力的デモということになり、非暴力主義の立場からは受け入れ難いということになります。

一方、権力側が、屋外での集会やデモを許可しないという状況のもとで、無許可で集会・デモを敢行したばあいには、それらの行為は権力側から見れば違法行為とみなされますが、反体制側からは、戦闘的かつ非暴力的な行動と評価されるでしょう。

わかりやすい例を示しましたが、実際の現場で暴力的行為と非暴力的行為を区別すること、暴力的行為と正当防衛の行為とを区別することは難しい場合が少なくありません。

直接行動をとりまく状況は様々ですが、要は非暴力主義の立場を堅持しようとする志向が大切だと思われます。

第二章　新たな社会主義の創生を

ここに提示する意見は、新たな社会主義思想の創生のための体系的な提言ではありません。既に本書で述べた、主としてロシア革命からソ連型社会主義体制の成立・展開の過程の検討を通して気づいた、社会主義運動の誤りを反省し、新たな社会主義思想・理論の創生に当たって、是非とも考慮しなければならないと思う問題点を取り上げたものです。

1　資本主義社会の矛盾を克服し、新たな社会を建設するためには、現存する社会の根底的変革が必要です

資本主義社会の枠内での改良による「よりましな資本主義」では、現存社会が抱えている矛盾を解決することはできません。

資本主義社会に代わる新たな共同的社会の実現が求められています。

生産手段の共有を基礎とし、階級的支配のない、自由で対等な人々による共同社会の建設です。

未来社会の究極の目的を一言でいえば、「人間の自由」の実現です。人間の自由とは、社会を構成する一人一人について自由で多様な生き方が尊重されることです。

それは「一人一人の自由な発展が、すべての人の自由な発展のための条件となるような」（マルクス『共産党宣言』）社会を目指すことです。

2 新たな社会の実現は漸進的な方法で

新たな社会の建設は、既存の社会を一挙に覆して新たな社会を作ろうとする、急激な革命的方法ではなく、漸進的な永続的変革の道を選ぶべきです。

社会の変革について出来るだけ多くの人々の理解と協力が得られることが望まれるからです。諺にあるように、「急がば回れ」、「急いては事を仕損じる」。

3 暴力革命の否定

新しい社会を実現する手段として、暴力の行使を行わないことを基本とすべきです。

一挙に社会変革を行おうとすれば、暴力による強制が避けられません。根本的な社会制度の転換であればこそ、暴力的強制によらずに、圧倒的多数の人々の納得と協力に基づいて、社会変革を進めることが大切であると思います。

革命権力による政策の暴力的強制は暴力の連鎖を生み、労働者・勤労大衆の分断を招き、独裁政権一と道をひらく恐れがあります。

非暴力直接行動と議会制民主主義に基づき、新たな社会への平和的移行を目指すべきです。

非暴力直接行動については、前章「社会変革と暴力」（前掲）をご参照下さい。

4　一党独裁政治の否定と多数党による民主的政治を

旧ソ連における共産党一党独裁は唯一前衛党主義に根ざし、革命運動の中の意見の異なる党や同じ党内の意見の異なる集団を政治から排除しました。独裁的権力を掌握した共産党は労働者人民を解放すべき存在から、逆に労働者人民を抑圧し、支配する存在となりました。それは人々から「自由と民主主義」を奪った専制政治でした。

このようなことが再び起きないようにするためには、言論の自由や結社の自由が認められるとともに、憲法と普通選挙に基づく、複数政党制による議会制民主主義が確立されねばなりません。重要議題に関しては「国民投票」などの直接民主主義の方法によって国民の意思決定を行うことも取り入れるべきです。

第Ⅱ編第十三章「旧ソ連とは何だったのか」（前掲）、第十六章「ソ連はどのように崩壊したのか」（前掲）、第十章「レーニンの国家論・革命論・プロレタリア独裁論」（前掲）をご参照下さい。

5　地域コミューンと地域共同組合

（1）政治および経済は中央集権的制度を避け、地方ないし地域分権型の制度が望まれます。政治については地域コミューンが、経済については地域協同組合（アソシエーション）が基本的単位をなし、前者と後者は連携をとりつつ運営されるべきと考えられます。

更に、コミューン及び協同組合はそれぞれ幾段階かの連合体を形成し、全体として重層的組織を形成することになると思います。上意下達の組織とならぬために組織の基本的単位である地域コミューンと地域協同組合により大きな決定権や自主管理権を与えることが必要です。

マルクスは次のように述べています。「もし連合した協同組合組織諸団体が共同のプランに基づいて全国的生産を調整し、かくてそれを諸団体のコントロールの下におき、資本制生産の宿命である不断の無政府と周期的変動とを終えさせるとすれば、諸君、それはコミュニズム、〝可能なる〟コミュニズム以外の何であろう」。（『フランスの内乱』１８７１年）

（２）生産手段の私的所有を廃止し、社会的所有とすべきですが、中央集権的な国有化はできるだけ少なく限定すべきです。また国有化と結び付きやすい中央集権的計画経済の制度は採用すべきではありません。官僚化を招き、生産の現場での意思決定や自主管理を阻害する恐れが大きいからです。

6　マルクスの幾つかの理論に対する疑問と反論

（1）全ての生産手段の国有化と国家管理に反対

「プロレタリア階級は、……いっさいの生産用具を国家の手に、すなわち支配階級として組織されたプロレタリア階級の手に集中して、……」。（『共産党宣言』第2章）

いっさいの生産手段を国有化し、中央集権的管理下におくことに反対です。

（2）過去のいっさいの社会秩序を暴力的に転覆することに反対

「共産主義者は、かれらの目的がこれまでのいっさいの社会秩序を暴力的に転覆することによってしか達成されえないことを公然と宣言する」。(『「共産党宣言」第4章』)

『共産党宣言』が発せられた1848年頃は、ブルジョア革命が達成されたヨーロッパの先進国でも、ブルジョア独裁の政治体制にあり、プロレタリア革命は暴力革命なしには達成されないとされていました。しかし、現代では、暴力革命によって社会変革を行おうとすることは、時代錯誤であり、反対です。このことについては、「社会変革と暴力」の項で、暴力革命に反対する理由を述べましたので、ご参照ください。

資本主義社会を廃止して新しい社会を建設するためには、過去に形成された一切の社会秩序を暴力的に破壊することを必要とするのでしょうか。時代を超えて受け継がれてきた文化や倫理、そして資本主義社会が生みだした生産力もすべて破壊してよいはずはありません。

(3)「同時に執行し立法する行動的機関」は独裁化の怖れあり。

「コミューンは、議会ふうの機関ではなくて、同時に執行し立法する行動的機関でなければならなかった」。(『フランスにおける内乱』)

パリ、コミューン政権が刻々と変化する状況に迅速に対応するためには、一時的に独立した立法府なしの政治形態をとることもやむをえなかったと思われます。しかし、このような政治形態が恒常化すると、少数者の独裁制を招くことになります。事実、マルクスのこの言説は、ロシア革命におけるボリシェヴィキの独裁の論拠の一つとしてレーニンによって利用されました。マルクスの意図が正しく理解されなかった点はありますが、このことに関する彼の言節は誤解を生むような内容であったと思われます。

マルクスには「独裁」体制が永続化することについては懸念を抱くことなく、極めて楽観的に考えていたと推察されます。

このことについては、すでに第Ⅰ編第十章「パリ・コミューンからマルクスは何を学びとったか」及び第Ⅱ編第十二章「パリ・コミューンについてのレーニンの誤った理解」（前掲）で述べましたので、そちらをご参照ください。

（4）プロレタリアート独裁に反対

「資本主義と共産主義社会とのあいだには、前者から後者の革命的転化の時がある。この時期に照応してまた政治上の過渡期がある。この時期の国家は、プロレタリアートの革命的独裁以外のなにものでもありえない」。（「ゴータ綱領批判」19～28～29）

現代社会では、「プロレタリア独裁」という政治形態は時代錯誤であり、大反対です。

「プロレタリア独裁」については、下記の章を中心に述べてきました。第Ⅰ編第十一章「プロレタリアート独裁とマルクス」、第Ⅱ編第十章「レーニンの国家論・革命論・プロレタリアート独裁論」。

両者の「プロレタリアート独裁論」、両者の考えの相違などについて比較検討をしてきました。

比較検討に際しては、マルクスのプロレタリアート独裁論を相対的に正しいものとしてきました。しかし、ロシア革命を経て現代に至る歴史的経験の中で検討すると、議会制民主主義を否定した独裁制の政治は、いかなる理由があろうと受け入れることはできないという結論に達しました。

（5）未来社会の物質的基礎とされる無尽蔵の富の生産は可能か？

①「英国の労働者階級は近代工業の無尽蔵の生産力を作りだすことによって労働を解放する第一条件を達成した」（「労働評議会に宛てた手紙」）

②「個人の全面的な発展にともなって生産力も増大し、共同社会的富のあらゆる泉がいっそう豊かに湧き出るようになったのち――そのときはじめて、ブルジョア的権利の狭い限界をふみこえることができ、社会はその旗の上にこう書くことができる――各人はその能力に応じて、各人はその必要に応じて」（『ゴータ綱領批判』）

マルクスは、人々が労働から解放され自由を獲得するための物質的条件として、あり余る富の産出を前提としていたことは、すでに述べました。彼は、資本主義社会で発達した生産力が、共産主義社会で一層発展して無限の富を生み出すことが可能になるに違いないと考え、人類の未来を楽観していました。

しかし今、１００年以上前にマルクスが描いた未来社会像をそのまま受け容れることはできません。

急激な人口増加（世界の総人口約80億人）、深刻な地球の生態環境の悪化、気象変動、資源の枯渇、等々により、人類は存亡の危機に立たされています。人類が生き延びていくためには、持続可能な社会を作ることを第一選択とせざるを得ない状況にあると思われます。

その中で、人間にとって「豊かさとは何か」ということを問い直しながら、豊かさを追及していくことになります。

人びとのライフスタイル及び産業構造の大転換、再生可能エネルギーの全面的採用、２酸化炭素排出の大削減、軍事力産業の廃止等々の課題に、もしも人類が成功するならば、人類は生きのびて豊かな社会を享受することができるかもしれません。

あとがき

1　私は、１９５７年から学生運動に参加することになり、左翼的著書に触れることも多くなりました。１９５９年には「ソ連は社会主義社会ではない」という認識に達していました。しかし、その時点ではレーニンの思想や理論に疑問を抱くことはありませんでした。

レーニンの思想・理論に疑問を持つようになったのは１９６３年の夏頃、いわゆる「60年安保闘争」終焉後の「新左翼」の思想的混迷の中でのことでした。

その契機は、友人に誘われて、哲学者竹内芳郎氏を囲む研究会に参加したことでした。その研究会で、従来「マルクス主義哲学」の基礎的文献の一つとされてきた、エンゲルス著『自然の弁証法』やレーニン著『唯物論と経験批判論』に代表される唯物論哲学に対して厳しい批判が加えられ、私にとっては正に目から鱗が落ちる思いでした。

しばらくして出版された竹内氏の著書『サルトルとマルクス主義』（紀伊国屋新書１９６５年３月初版）を読むことによって、竹内氏の主張の正しさを確認することができました。しかし、このことはレーニンの思想・理論のうちの主に哲学という分野に対する批判ですが、私にとっては非常に大きなことでした。

１９６８年、全国的に大学闘争が噴出し、ベトナム反戦・70年安保闘争などが闘われる状況のなかで、故守田典彦氏（ペンネーム　青山到　１９２９～２０１１）を囲む学習会が作られ、それに参加するようになりました、
守田氏は、１９５０年九州大学在学中に、「反戦学生同盟」（ＡＧ）設立の中心的役割を果たした方で、ＡＧは全国的な組織に発展しました。

この学習会の主旨は、大げさに言えば、マルクスの思想・理論の学習を軸として、左翼思想の低迷を打破しようとするものでした。

学習会で、守田氏から、労働者階級の組織化に関して、指導者集団としての革命党を労働者階級よりも上位に位置づけるというレーニンの組織論は誤りであることが指摘されました。

「プロレタリアート独裁」は、革命党の独裁であってはならず、労働者階級の「階級的」独裁でなければならないという考えでした。

非常に大切なこととして、マルクスの思想と理論の根底をなす弁証法的思惟形態（弁証法的な考え方）を学びとることの大切さが強調されたことです。

１９９１年、20年以上続いた前記学習会は諸般の事情のために解散されましたが、私はこの学習会で多くのことを学びました。特に守田氏からマルクスを読むことの大切さを繰り返し教えられました。守田氏との出会いなしには、私はマルクスをまがりなりにも読むことができるようにはならなかったと思っています。そして、マルクスを読むことによってレーニン批判も可能になったと言えます。

今はなき守田氏に深く感謝している次第です。

２

原稿を抱えてイマジン出版を初めて訪れたのは、本年（２０２０年）２月初頭のことでした。

２月下旬に同社との間で契約が成立し、出版に向けての作業は順調に開始されたかのようでした。その頃、中国で武漢を中心に蔓延していた「新型コロナウィルス感染症」は、わが国では社会的に重要視されていませんでした。

ところが、コロナ感染症は瞬く間に全世界に広がり、３月11日にはＷＨＯ（世界保健機構）から「パンデミック」（世界的大流行）の宣言が出され、４月７日に我が国では「緊急事態宣言」が発令されました。

コロナ感染症の蔓延は、医療上の問題にとどまらず、社会の、生活のあらゆる分野に甚大な影響と被害をもたらしました。当然のことながら、出版業界の経営にも影響が及び業務の遅滞が生じました。

幸いなことに、本書の出版ついては、関係者の方々のご配慮により、当初の予定よりも完成が多少遅れたのみで済みました。

本書の出版を快く引き受けてくださったイマジン出版に厚く感謝申し上げます。

コロナ禍の困難な状況の中で、本書の制作にご尽力いただいた皆様に心よりお礼を申し上げます。

２０２０年８月

１９６０年安保闘争から60年

平岩　章好

【著者紹介】

平岩章好（ひらいわ・あきよし）

1936年生まれ
1961年　新潟大学医学部卒業
1962〜67年　東京大学医学部附属病院分院内科にて臨床研修
その後東京都内の医療機関にて内科医として診療に従事

レーニンよさらば！
新たな社会民主主義を！自由・共生・非暴力！

2023年6月30日発行　　著　者　平岩章好
発行者　向田翔一

発行所　株式会社22世紀アート
〒103-0007
東京都中央区日本橋浜町3-23-1-5F
電話　03-5941-9774
Email: info@22art.net　ホームページ：www.22art.net

発売元　株式会社日興企画
〒104-0032
東京都中央区八丁堀4-11-10 第2SSビル 6F
電話　03-6262-8127
Email: support@nikko-kikaku.com
ホームページ：https://nikko-kikaku.com/

印刷
製本　株式会社PUBFUN

ISBN：978-4-88877-221-1